15
VIDAS
PASSADAS

Os quinze relatos de reencarnação que compõem este livro foram organizados e traduzidos por Luis Hu Rivas, a partir de mensagens psicografadas pela médium espanhola Amália Domingo Soler.

6ª edição
Do 13.200º ao 14.200º milheiro
1.000 exemplares
Janeiro/2022

© 2015-2022 by Boa Nova Editora.

Capa e projeto gráfico
Luis Hu Rivas

Diagramação
Juliana Mollinari
Luis Hu Rivas

Revisão
Alessandra Miranda de Sá

Coordenação editorial
Ronaldo A. Sperdutti

Impressão
AR Fernandez Gráfica

Todos os direitos estão reservados.
Nenhuma parte desta obra pode ser
reproduzida ou transmitida por qualquer
forma e/ou quaisquer meios (eletrônico ou
mecânico, incluindo fotocópia e gravação) ou
arquivada em qualquer sistema ou banco de
dados sem permissão escrita da Editora.

O produto da venda desta obra é
destinado à manutenção das atividades
assistenciais da Sociedade Espírita Boa Nova,
de Catanduva(SP).

1ª edição: Maio de 2015 – 5.000 exemplares

15
VIDAS
PASSADAS

Instituto Beneficente Boa Nova
Entidade coligada à Sociedade Espírita Boa Nova
Av. Porto Ferreira, 1.031- Parque Iracema
Catanduva/SP | CEP 15809-020
www.boanova.net | boanova@boanova.net
Fone: (17) 3531-4444

Dados Internacionais de Catalogação na Publicação (CIP)
(Câmara Brasileira do Livro, SP, Brasil)

15 vidas passadas / mensagens pscografadas pela
médium Amália Domingo Soler ; [relatos
organizados e traduzidos por Luis Hu Rivas]. --
Catanduva, SP : Boa Nova Editora, 2015.

ISBN 978-85-8353-007-7

1. Espiritismo 2. Espíritos 3. Mensagens
4. Escritos espíritas 5. Reencarnação
6. Reencarnação - Espiritismo 7. Vidas passadas
I. Amália Domingo Soler, 1835-1909.
II. Rivas, Luis Hu.

15-02669   CDD-133.93

Índices para catálogo sistemático:

1. Mensagens espíritas : Espiritismo   133.93

Aos Espíritos Amália Domingo
Soler e Juan Antonio Durante, que
inspiraram e acompanharam a
realização deste trabalho.

Sumário

Introdução 08

1. A menininha que ficou cega 14
2. O menino monstro 28
3. O recém-nascido sem braços e sem pernas 52
4. A velhice de cento e cinquenta anos 62
5. A exploração de uma criança deforme 74
6. Os mendigos ricos 86
7. O crime de um louco obsidiado 94
8. O ganancioso miserável 110
9. O homem salvo por um "fenômeno
    sobrenatural" 118
10. A garota surda-muda com paraplegia
    e doença mental 128
11. A morte de uma esposa em sua lua de mel 136
12. A avó obsessora 146
13. A menina assassina 154
14. O neném abandonado na porta de casa 164
15. O garoto assassinado pelos pais 174

Introdução

O conhecimento das razões que fundamentam a lei da reencarnação, sob a luz do Espiritismo, é de grande importância para todo ser humano.

A dor e o sofrimento são a confirmação e a prova da justiça de Deus. Bem entendidos e bem compreendidos, podem mudar o futuro da humanidade.

Quando o homem souber quem é, de onde vem e para onde vai, conseguirá transformar a sua forma de agir com os outros e consigo mesmo. Poderá mudar com consciência seus hábitos e pensamentos e, finalmente, encontrará a solução para muitos enigmas da ciência, da filosofia e da religião.

Compreenderá que a lei de "causa e efeito", por algumas doutrinas orientais chamada de *karma*, não é uma lei de punição, mas sim uma lei de ajuste e de harmonia universal.

Essa lei, ainda pouco conhecida, está presente em todos os acontecimentos da vida, no dia a dia, nas maiores e nas menores ações que fazemos. É uma lei viva, que regula tudo, desde o microcosmo até o equilíbrio dos mundos.

Quando o homem descobrir que é um espírito imortal, que vem evoluindo através dos milênios por muitas existências, e que por muitas outras ainda precisará reencarnar rumo à sua perfeição, ele acordará para sua nova realidade: a de ser um anjo em potencial.

A felicidade verdadeira está preparada, segundo o esforço que fizer desde agora, em seu trabalho de autoiluminação.

Mas, para que tudo isso aconteça, é necessário que compreenda os porquês da vida, das dores de alguns seres, em certos casos desde o nascimento, e das aparentes injustiças de Deus. O homem na Terra precisa ter a certeza de que nada acontece por acaso, e que em tudo, absolutamente tudo, está presente a lei divina.

Acreditamos que a leitura desta obra vai levar ao amigo leitor profundas reflexões, até então inimagináveis, e a compreensão do seu papel no planeta em que está encarnado.

Para melhor orientá-lo, selecionamos as mais interessantes mensagens psicografadas, referentes à explicação de vidas passadas, pela médium espanhola, Amália Domingo Soler.

Estas mensagens foram traduzidas e organizadas para uma maior aproximação com o leitor.

Foram separadas, portanto, situações de pessoas que nascem cegas, aleijadas, órfãs, abandonadas ou exploradas cruelmente. Também selecionamos o caso de uma criança assassina e de outra que sofre de doenças mentais; de gente que fica paraplégica e até histórias verídicas dos sofrimentos de idosos, mendigos e famílias infelizes.

Esperamos poder contribuir com uma mudança comportamental íntima, para uma melhor compreensão de cada ser, no estrito cumprimento de seu dever.

Que Deus nos ampare.

Tenham uma boa leitura.

Luis Hu Rivas

Tradutor da obra

I

A menininha
que ficou cega

Amália Domingo Soler | traduzido por Luis Hu Rivas

Há alguns dias, recebi a visita da amiga Alícia. Para mim, uma pessoa muito cara. Ela é uma mulher distinta, de porte verdadeiramente aristocrático, com esmeradíssima educação, vasta instrução, e espírita convicta. Lê com grande aproveitamento tudo o que está escrito sobre o Espiritismo, traduzindo e comentando suas melhores obras, sem que seu nome real venha à luz.

Certamente, ela faz o bem pelo próprio bem e trabalha sem querer os louros da fama, embora a glória de sentimentos elevados tome todo o seu ser. Mulher de meia-idade, mantém a esbelteza e a elegância da juventude, mas há algo nela que atrai, seduz e a torna interessante. Quando as pessoas falam com Alícia, gostariam que o tempo parasse, para que aqueles breves momentos se tornassem intermináveis horas.

Casada e mãe, dedica-se a toda sua família, que não tem os seus mesmos ideais. Ela, prudente e reservada, oculta o valioso tesouro de suas crenças, evitando assim discussões com seus familiares.

Vive, pode-se dizer, em um mundo superior. Participa das lutas terrenas e consola as lágrimas de suas filhas, se elas sofrem dores naturais, que proporciona a vida das mulheres casadas. Depois de cumprir com seus deveres de mãe amorosa, parece entrar em outro mundo, novamente concentrada em si; parece viver de memórias. Essas lembranças devem ser muito dolorosas, porque seu rosto assume uma expressão triste, e fica mais triste ainda pois, por não ser comunicativa, fecha-se no silêncio e evita falar sobre ela mesma.

Bem como oculta os seus trabalhos espíritas — para evitar aborrecimentos com a família —, também guarda suas preocupações e ansiedades, assim como os seus temores.

Quando converso com ela, percebo que estou lendo um livro do qual só vejo a primeira página, já que as demais estão fechadas. De modo que, da última vez que a vi, fiquei surpresa ao encontrá-la mais comunicativa e mais expansiva.

Aquele Espírito superior desceu de seu alto pedestal. Humanizou-se e, sem dúvida, encurtou as distâncias entre ela e a maioria dos mortais. E, ao perceber tal mudança, minha alegria não teve limites. Demonstrei dizendo:

— Não sei o que observo em você, mas acho-a mais carinhosa, mais perto de mim.

— Sem dúvida. Você não vê que a dor é a grande

geradora de democracia no universo? Aqueles que sofrem entendem-se facilmente. Faz tempo que você sofre, e eu, nos últimos anos, também sofri grandes reveses. É pela lei de afinidade que falo com você, para que possa me esclarecer o que eu não consigo enxergar.

— Eu sei que você tem muito boas relações com os Espíritos e que eles vão contar muitas histórias. E desejo que uma vez mais respondam às suas perguntas, não apenas para satisfazer minha curiosidade, mas para estudar um dos capítulos da história humana.

— Você sabe que gosto muito de você e admiro-a. Vejo em você dois seres diferentes, embora exista só um verdadeiro. Adivinho as suas tristezas e, para dar-lhe consolo, farei tudo o que me for possível.

— Eu sei. Seu Espírito e o meu conhecem-se há tempos e, embora desta vez o nosso destino tenha nos separado, isso pouco interessa. As almas não precisam do atrito dos corpos para se entenderem, se quererem e trocarem favores.

Seríamos eremitas se a humanidade que povoa os mundos não pudesse se comunicar através das grandes distâncias. Mas vamos ao assunto que me preocupa. Acho que você já sabe que eu fiquei viúva.

— Sim, eu soube. E, mesmo que não soubesse, o seu luto teria indicado.

— Mas isso não dirá como faleceu o meu marido.

Ele morreu da forma mais horrível que você possa imaginar.

— De que morreu?

— De fome!

— Jesus, que horror! Tinha algum câncer no estômago que o impedia de comer?

— Não, ele era muito bom e muito saudável. Sabia cuidar-se como poucos homens. Sua ciência médica servia-lhe admiravelmente para não padecer de dores físicas. Mas uma dor moral fez com que ele esquecesse todos os métodos higiênicos. Entregou-se nos braços de uma silenciosa obstinação, e a sua vida apagou-se, como se extingue a luz de uma lâmpada que não tem o óleo necessário.

— Deve ter sido uma imensa dor, pois, que eu saiba, seu marido não era um homem de sentimentalismos.

— Realmente, não era ligado em sentimentalismos. Ele era bom, mas severo.

Seu mundo era a ciência; sua família, seus inúmeros doentes; e as suas únicas alegrias eram restaurar a visão aos cegos. Por centenas são contados os que ele curou, em todas as classes sociais. Atendia do mesmo jeito dos mais pobres aos mais ricos. As operações mais difíceis, jamais as encarregava a seus assistentes, como faz a maioria dos médicos descomprometidos.

Onde via perigo, lá estava ele. Tanto lhe importava se fosse um mendigo nojento ou um doente aristocrático, limpo e perfumado. Ele dizia que a ciência é a igualdade em ação, e que o verdadeiro médico é o grande demo-crata, o grande nivelador. Para ele não existiam classes sociais, por isso, respondia a todas as chamadas.

De modo que o meu marido nunca fingiu ser surdo quando foi chamado pelos aflitos.

— Deve estar muito bem no mundo espiritual!

— Com certeza, a menos que a sua morte seja um obstáculo para a sua glória, porque ele se matou. Suicidou-se.

— E qual foi o motivo para tal determinação violenta?

— Eu vou lhe contar:

Uma das minhas filhas se casou e deu à luz uma menina linda, com olhos belíssimos, que pareciam duas estrelas. Desde que ela nasceu meu marido ficou louco por ela, e a pequenina por ele. O avô e a neta eram dois corpos e uma só alma; estando juntos, já estavam felizes.

"Meu marido rejuvenesceu e sempre estava com a neta em seus braços. Embora creia ser inútil dizer, não deixava sequer a menina tocar o chão com seus pés, e evitou-lhe a dor da dentição e demais doenças da infância.

"Mas a varíola se apoderou de todo o corpinho da minha neta, atingindo, principalmente, os olhos. Meu marido não queria mais comer nem dormir. Estava sempre ao lado da pobre menina, devorando livros, procurando uma luz para aqueles olhos que eram a sua vida. Devolveu-a a um, mas o outro saiu de sua órbita e meu marido enlouqueceu, retirou-se para o quarto, e eu o ouvi exclamar a sós: 'Será possível? Eu, que restaurei a visão de muitos cegos, que curei tantos sifilíticos, a este anjo tão belo não consegui curar. Nele será colocado um olho de vidro, mas enxergará somente pela metade...

Até mesmo o olho que eu salvei agora não será tão belo, não terá aquele brilho deslumbrante. Para que serviu a minha ciência? Para nada!'

"E, então, ele se recusou a tomar qualquer tipo de alimento, ingerindo somente água, todos os meus apelos sendo inúteis.

Ele apenas respondia: 'Não adianta o que me diga. Não posso comer, e até mesmo a água tenho dificuldade de engolir'.

"Dois dias antes de morrer, ele me pediu frutas muito maduras, mas já era tarde demais. Morreu de fome, sem proferir uma queixa; só dizia entre dentes: 'Quando nós não servimos para nada, devemos deixar o nosso lugar para os outros'."

— Que laço o unia à sua neta?

— Bem, eu tinha outros netos, e por nenhum deles se desvelou como pela sua menina querida. Se você puder perguntar ao Espírito Guia, para saber qual é a história que têm esses dois Espíritos, eu ficaria muito agradecida. Porque morrer como meu marido morreu, um homem tão sério, tão correto, tão dedicado à ciência... somente poderia acontecer por uma causa muito poderosa, para levá-lo a sucumbir tão tragicamente.

— Eu prometo que vou, na primeira oportunidade, aproveitar para comprazer-lhe.

Cumpri a minha palavra perguntando ao meu Espírito Guia o que desejava saber Alícia, e o Espírito amigo disse-me o seguinte:

Psicografia

Justo é o desejo que impulsiona o saber de ambas, e será objeto de estudo o que eu vou lhes dizer. Ouçam com a maior atenção:

O homem que "morreu de fome", que conhecemos como Raul, e sua neta são dois Espíritos que caminham juntos por muitos séculos. Estiveram unidos por todos os laços terrestres e, nas suas últimas encarnações, foram amigos inseparáveis. Eram mestre e discípulo.

Por longos séculos, Raul dedica-se a curar doentes. A menina, que nesta encarnação foi a sua neta, fora, em outra vida, o seu discípulo mais notável e sua assistente mais dedicada. Ela tinha quase tanta fama quanto a de seu mestre.

Os dois eram inseparáveis, cada um complementando o outro. Tamanha sorte tinha em suas curas, que chegaram a ficar orgulhosos, o mestre e o discípulo. Eles eram realmente infalíveis em seus julgamentos médicos.

Suas palavras eram proféticas, nunca erravam, sempre mantendo o bem-estar da saúde, e preventivo nas doenças. Eram sempre tão convictos de sua infalibilidade, que não se contentaram em seguir os passos de outros sábios doutores. Assim, começaram suas pesquisas com novos métodos e procedimentos especiais.

Para ter maior segurança nos seus experimentos, não ficavam satisfeitos somente com os testes em vários animais, como era o costume. Queriam ver o resultado que produziam os soros e outras injeções hipodérmicas, fazendo assim os testes em crianças, tanto em hospitais como em orfanatos.

Umas morriam; outras eram salvas, e os dois, não sentiam o menor remorso pela morte desses inocentes. O que era a morte de uma criança sem família diante do bem que aquela experiência traria para a humanidade?

Além disso, a fama que conquistaram deixava-os orgulhosos. Acreditavam ser infalíveis, porque de longínquas terras vinham os doentes em peregrinação, para recuperar a saúde perdida.

Raul era de fato uma celebridade médica, e seu

discípulo nunca o deixou por um momento, tampouco o invejava.

Unidos há tantos séculos, por íntimos e legítimos laços de amor, a admiração entre ambos beirava a idolatria. Livre das misérias terrestres, o maior prazer do discípulo era proporcionar ao seu mestre as crianças carentes, nas quais Raul experimentava a eficácia de seus inventos ousados.

Os dois acreditavam ser deuses. O orgulho os cegou, e, como o orgulho também é um pecado, Raul e o discípulo tiveram suas condenações: os dois pagaram, nesta existência, uma parte de sua longa conta.

O discípulo amado é hoje a meiga menina cujo avô, com todo o seu conhecimento, não foi capaz de curar completamente. O sábio orgulhoso, aquele que acreditou ser infalível em seus julgamentos, foi impotente para curar o seu querido anjo.

Ele, que não teve compaixão pelas crianças pobres, sacrificadas ao estudo e à investigação científica, nesta encarnação, sofreu com as consequências de sua indiferença no passado. A dor que não se compadece, é necessário sofrê-la, para apreciá-la no seu verdadeiro valor.

Na sua última existência, Raul teve a sua ciência completamente eclipsada, em comparação ao que foi em outras vidas. A sua grande inteligência médica fez com que ele sofresse extraordinariamente.

Ele sabia onde estava o remédio para a doença e como aplicá-lo, mas, no momento decisivo de administrá-lo, percebeu que errava; a sua ação não correspondeu ao impulso de seu pensamento.

Se isso já o desesperava com os doentes estranhos, a sua aflição chegou ao ponto máximo, quando se viu impotente para salvar a sua neta, que era o amor de todos os seus amores.

Ele morreu como lhe era necessário morrer.

Humilhado, convicto de sua insignificância e de sua pequenez. Acreditava-se um "deus" e morreu persuadido de que não há deuses; de que não existe mais do que um Deus.

Como o pecado do orgulho científico é, até certo ponto, perdoável, Raul por séculos é um sol no mundo da ciência. Hoje se encontra em muito bom estado, porque não perdeu nada de sua sabedoria e reconheceu que existe uma grandeza superior à sua.

Ele descobriu uma ciência desconhecida, um poder maravilhoso, uma força que mantém a máquina do universo com tanta luz, com tanta magnificência e diante de tantos mundos, onde ele reconhece haver outros grandes sábios. Hoje, ele se considera um dos muitos alunos na grande universidade do infinito.

Reconhece-se grande e pequeno ao mesmo tempo, dizendo que o orgulho não o cegará novamente. Agora ele tem luz própria, mora em torno da luz, e com seu fluido luminoso envolve a sua neta, que é o amor de todos os seus amores.

Estude atentamente este breve relato que eu fiz da morte de um sábio orgulhoso. Não é suficiente penetrar vitorioso no templo da ciência. O fundamental é aprender a amar e sentir compaixão.

Você não pode subestimar o pária da sociedade, porque aquele ser abandonado tem um Espírito, talvez, mais avançado do que aquele que acredita ser infalível por sua sabedoria.

No simples fato de nascer, devemos considerar que os Espíritos reencarnam na Terra para cumprir uma missão, seja de grande importância ou insignificante.

Todo homem merece respeito, e devemos nos esforçar para protegê-lo e amá-lo. A ciência que não desce até o desamparado receberá o castigo merecido, como você viu no caso do sábio Raul.

Adeus.

O Espírito Guia.

Reflexão

O Espírito está certo em dizer que é digna de profundo estudo a história da morte de um homem que um dia acreditou ser um "deus", tão pouco valorizando o seu corpo, que parou de se alimentar, convicto de que a sua permanência na Terra era completamente inútil.

Grande equívoco! Ainda poderia ter feito muito bem; sua ciência poderia ter espalhado consolo. Mas ele acreditava ser dono de si mesmo e dispôs de sua vida, ignorando que cometia um crime, e assim negando também conhecimentos médicos a muitos doentes.

Quão necessário é conhecer a vida após a morte! Se Raul soubesse, não teria se entregado ao desespero, destruindo o seu corpo. Ao contrário, teria redobrado seus esforços para dar luz aos cegos, uma vez que ele sabia do sofrimento diante de uma desgraça irreparável.

Somente o estudo do Espiritismo nos tornará grande em meio à dor. Sabendo que vivemos para sempre, vamos fazer o possível para nos tornarmos melhores hoje do que ontem, e amanhã nos tornaremos os grandes benfeitores da humanidade.

2

O menino monstro

Um amigo nosso, que mora atualmente em Mérida de Iucatã, no México, enviou-nos um pequeno obituário que nos impressionou profundamente, a tal ponto de pedirmos ao Espírito que nos guia em nossos trabalhos mediúnicos que nos dissesse algo sobre aquele ser tão desafortunado, cuja existência tinha sido horrível.

E o nosso amigo invisível, quando viu que a nossa pergunta tinha como objetivo o estudo e o desejo de transmitir uma lição útil, nos deu alguns detalhes que transcrevo a seguir e onde se lê:

Relato

A natureza costuma fazer brincadeiras terríveis à humanidade. Seja dentro do lar, seja na vida pública, o gênio do mal faz sangrentos escárnios ao homem. Este, que é o rei da criação, a quem o "Supremo Criador o fez à

Sua imagem e semelhança", segundo a frase bíblica, ele costuma precipitar do trono em que o colocou a natureza, levando-o aos últimos e sujos níveis da degradação.

Vimos indivíduos da espécie humana proceder em todos os degraus da escala social como jamais se comportariam os animais mais irracionais.

Tente colocar a mão sobre qualquer pássaro recém-nascido, sobre a cria de qualquer quadrúpede ou de uma fera, e vocês verão como os pais avançarão ferozes, ainda mais se os filhotes estiverem indefesos. E, se estes ainda ficam doentes ou estão perdidos, com que cuidado e carinho os protegem.

Ao contrário disso, vemos pais, e, o que é pior ainda, mães, que são indiferentes e frias diante da agonia ou da morte de um filho. Algumas os abandonam à própria sorte e esquecem-se deles, como se nunca os tivessem concebido e nutrido em seu ventre.

Muitas pessoas morrem em tais condições, mas, infelizmente, isso é comum na existência das sociedades.

Tão sombrias reflexões sugerem-me o recente desenlace do seguinte drama.

Nem pelo protagonista ser humilde, nem pelo fato de ter acontecido na escuridão da pobreza, deixa de comover a todo espírito pensante e humanitário.

No dia 13 deste mês, deixou de sofrer para sempre

um homem que era conhecido na favela pelo nome de Arcádio Góngora.

Parece que aos trinta e dois anos perdeu completamente a razão, vítima de certa predisposição orgânica e biológica.

Na época, era um moço atraente, de dezoito a vinte anos, cheio de vida e saúde. Infelizmente, sua loucura, inofensiva no início, logo se tornou hostil e perigosa. Até o momento em que foi necessário colocá-lo numa prisão, acorrentado a um tronco, como um bicho do mato, para sua própria segurança e a de sua família.

Lá, ele ficou quase toda a sua miserável existência e dali não saiu mais. Eu o conheci há dez anos, e ainda não apaguei, nem acredito que consiga apagar do meu pensamento, a impressão que produziu a sua presença em mim.

Sentou-se com o cotovelo direito no joelho e a bochecha na palma da mão, numa pequena rede, sendo esse o único móvel do barraco sujo e arruinado onde ele morava, como um animal triste e isolado dos outros e, às vezes, em piores condições que isso.

Permanecia com um pé firmemente preso, entre um aro e o extremo de uma corrente de ferro, fixa com solidez. Seu cabelo, as costeletas e a barba estavam sem fazer, crescidos, caindo sobre os ombros. O peito e as costas sugeriam algumas facções de alguém que devia, em algum tempo, ter apresentado boa forma, mas que agora estava desfigurada.

Os grandes e negros olhos estavam quase pulando de suas órbitas, suas roupas estavam sujas e rasgadas, mostrando em vários lugares a sua pele. Ele parecia um selvagem, um eremita perdido nas profundezas da selva.

Falava sem parar, ora gritando, ora baixando a voz, mas numa linguagem inteligente e rápida.

Enquanto eu estava na soleira da porta, ele ergueu os olhos, fixou-os nos meus, com uma expressão que me fez retroceder, olhou para trás e procurou um objeto. De repente, abaixou-se, pegou uma pedra e atirou-a violentamente em mim. Mas eu previ o seu movimento e me escondi atrás da porta, que recebeu o golpe terrível; se tivesse me atingido, com certeza, estaria ferido.

Vi-o por um momento com piedade sincera e retirei-me com o coração pesado.

Desde esse dia até a sua morte, só voltei a vê-lo duas ou três vezes mais.

Ninguém podia aproximar-se sem perigo, somente sua família miserável, formada apenas de mulheres, que sofreram penas cruéis para atender-lhe a subsistência.

Às vezes, quando eu estava passando perto de seu pequeno barraco, ouvia com emoção a sua primitiva e sonora voz, que ecoava nas altas e silenciosas horas da noite.

Vibrava à longa distância e pairava sobre a comunidade, enquanto todos dormiam. Elevava-se ao céu como um protesto doloroso, contra a sociedade que o abandonara, ou como uma misteriosa súplica impregnada de tristeza infinita.

E eu me perguntava: por que a justiça divina não devolvia a razão para aquele coitado? Ou por que não fazia parar para sempre a sua terrível condição, retirando-lhe a vida muito pesada, apesar de não ter consciência de seu estado?

Diziam que quase nunca dormia: o aniquilamento de suas forças obrigava-o a calar-se e render-se a breves momentos de descanso.

Em várias ocasiões, as pessoas caridosas tentaram enviá-lo ao hospital geral de Mérida, onde, se não fosse curado, pelo menos estaria asseado e mais bem atendido. Mas sua família sempre se opôs e pedia que o deixassem, acreditando que, por pior que elas pudessem tratá-lo, seria melhor do que se ficasse em mãos alheias.

Absurdo total! Erro fatal, que prejudicou ainda mais o infeliz demente! Finalmente, há algum tempo, ele foi atacado por uma doença na barriga, que foi consumindo-o lentamente, agravando a sua situação, até que partes do seu corpo foram antecipadamente devoradas por vermes.

No dia 13 do presente mês, a Providência Divina apiedou-se dele, colocando um ponto-final aos seus sofrimentos terrenos. Tinha então cinquenta e dois anos aproximadamente, e esteve demente durante trinta e dois.

Diz-se que, antes de sua morte, a fugitiva razão cintilou sobre o seu espírito, como esses relâmpagos que rasgam a escuridão profunda de uma noite de tempestade. Quando se desprendeu de seu mísero corpo, ele disse:

— Venham, irmãos! — em uma exclamação lastimosa. — Finalmente chegou a hora da minha morte!

Quando a morte ocorre desta forma ou semelhante, devemos pensar que é um voto de graça, em vez de lamentação. Nestes casos, a morte, longe de ser um mal, deve ser vista como uma dádiva benéfica.

Paz ao Espírito Arcádio Góngora! Descanse na mansão dos mártires.

F. Pérez Alcalá
Iucatã, México, 19 de dezembro de 1882.

Comentário da médium

Como os nossos leitores vão entender, esta triste história abre espaço para reflexões sérias e dolorosas.

Se não há efeito sem causa, este deve ter sido deplorável, horrível.

Infelizmente, não nos enganamos em nossos cálculos, pois o nosso amigo invisível disse na sua comunicação o seguinte:

Psicografia

Grandes remorsos pairam sobre a velha Europa, que conquistou a ferro e fogo os países chamados de "Novo Mundo" e outros belos continentes. E grande parte da responsabilidade teve a Espanha nessas lutas terríveis, nessas matanças fratricidas, em que sucumbiram tantos exploradores.

Os homens, que se chamam de civilizados, foram mais indômitos e mais selvagens do que os nativos. Eles foram mais desnaturados e mais brutais do que as tais feras.

Quantos crimes foram cometidos nessas terras distantes, nas suas florestas virgens! Quantas vítimas foram sacrificadas, em nome das mais pervertidas, desenfreadas e imundas paixões! Causa horror ler a história dos homens da Terra, que está manchada com todos os vícios, imersos na sensualidade e na perversidade.

Grandes expiações estão sofrendo, mas tenha certeza de que, se tivessem que pagar "olho por olho e dente por dente", passariam por séculos como passam as diversas vidas.

Você chegaria quase a acreditar na eternidade das penas, ao ver a continuação dos incessantes martírios, apesar da intervenção da Misericórdia Divina.

Como as leis de Deus são imutáveis e devem ser cumpridas, necessariamente os homens têm que sofrer todas as dores, todas as agonias que fizeram outros padecerem, regozijando-se em seu tormento. A única vantagem de que dispõem os seres ao expiar é que a nenhum ser da criação falta alguém que o queira.

Mente aquele que diz que está sozinho. Todos os homens estão acompanhados de alguma alma protetora, e, se não tivessem ninguém, ainda assim existe essa raça irracional muito amiga do homem: o cachorro, símbolo da fidelidade que, com um leve carinho, serve de guia, de companheiro e participa das tristezas e alegrias humanas.

Isso no mundo visível. Fora da vida material estão os Espíritos protetores, dando-lhes ânimo e resignação nas horas de sangrenta agonia. Ah! Se os homens estivessem sozinhos, como alguns dizem estar, o que seria desses infelizes? Sem dúvida, cairiam atordoados, sobrecarregados diante da dor e da solidão.

Quando o corpo é entregue ao descanso, se o seu

Espírito não encontra uma mão amiga para orientá-lo, ou uma voz amorosa que venha lhe perguntar: *Aonde você vai, pobre exilado?*, você acha que teria forças para reanimar o seu corpo e começar o trabalho de um novo dia? Não. As necessidades da alma são as do amor, e, sem esse alimento essencialmente divino, ela não pode viver, assim como as flores precisam do orvalho e os pássaros não vivem sem as suas asas.

Quando suas expiações obrigam os homens a carecer de família, de lar e de seres afins, então, eles têm que permanecer numa dupla prisão, separados de seus semelhantes e com a sua razão escurecida.

O homem é um ser social por excelência; sente-se atraído para formar família e, sem os laços do amor, da amizade, do parentesco, da simpatia, não poderia viver, por isso não falta quem o queira, no visível ou no invisível.

A criatura infeliz diz muitas vezes: "Gostaria de estar sempre dormindo, porque dormindo sou mais feliz, e assim eu não me lembraria das minhas desgraças".

Na verdade, não é que não se lembra; pelo contrário, ele as vê com mais clareza, acompanhado por Espíritos amigos, que o incentivam, fortalecem-no e o ajudam a carregar o peso da sua cruz.

Todos aqueles que se sentem deserdados da Terra têm seus tutores no mundo espiritual, que cuidam da sua herança e guardam os seus tesouros, para quando forem dignos de possuí-los.

Existem alguns Espíritos tão depravados, que fazem tão mau uso de seu livre-arbítrio, que a estes necessariamente irá durar mais tempo a orfandade. Eles rejeitam, com os seus desmandos, todo o amor e terno cuidado das almas que querem seu bem-estar.

A este nível de Espírito pertence o ser cujo sofrimento tanto impressionou em sua última existência; horrível, mas merecido, porque na Criação, lembremos sempre, tudo é justo.

Esse Espírito, numa de suas encarnações anteriores, foi um dos aventureiros espanhóis que exploraram as terras mexicanas, impondo suas tirânicas leis, reduzindo à escravidão as tribos guerreiras. Abusou miseravelmente da inocência das mulheres que lá viviam, enriquecendo de um modo fabuloso, usurpando terras e propriedades, cometendo todo tipo de atrocidades e impondo sua vontade soberana sobre povos inteiros .

Ele tornou-se um tirano tão cruel, que a sua impiedade chegava a raiar na fronteira do inverossímil. Parecia impossível que aquele homem tivesse recebido a vida do "hálito de Deus".

Se pudéssemos admitir duas potências: uma do bem e outra do mal, por assim dizer, esse desgraçado seria o filho predileto do príncipe das trevas, tamanha era sua perversidade.

Brutal e libertino até a exageração. Os mais belos

rapazes e moças tinham que ceder aos seus impudicos desejos, pois a sua excitação contínua foi o martírio de seus miseráveis escravos.

Corajoso e destemido, cometia as mais arriscadas empresas, e somente lhe faltava coroar-se, possuindo Azora, uma virgem nativa, bela como as huris do paraíso de Maomé, casta e pura como as virgens do céu cristão.

Azora era a simpatia de seu pai e de seus irmãos. Sua grande família a intitulava como a escolhida do "Pai da Luz", e todos a respeitavam como um ser privilegiado. Seus grandes olhos irradiavam um brilho celestial, e de sua boca saíam palavras proféticas, que os jovens e os anciãos escutavam com respeito.

Uma tarde, reuniu seu povo e disse-lhes em triste voz:

— Grande e invisível desgraça cairá sobre nós. Aves de rapina vão espalhar suas asas negras e cobrirão os nossos límpidos céus em cinzentos nevoeiros.

Podem tremer, companheiros. Não por nós, que seremos as vítimas, mas pelos algozes implacáveis, que não ouvirão o nosso sofrimento. Sairemos purificados pelo martírio! Mas, misericórdia para os verdugos!

A jovem não estava enganada. Naquela noite chegou ao vale uma centena de aventureiros, liderados por Gonzalo. Estavam à procura de Azora, cuja peregrina beleza tinha-lhes sido informada, e Gonzalo queria que ela fosse uma de suas infelizes concubinas.

A bela moça, para evitar o derramamento de sangue, suplicou a Gonzalo que não levantasse acampamento, que ela o seguiria, mas desde que respeitasse a vida de seu pai e de seus irmãos.

Como Azora tinha extraordinária influência sobre todos os seres da Terra, Gonzalo também sentiu sua mágica influência e, pela primeira vez, obedeceu ao mandato de uma mulher.

Azora tinha tomado prévias precauções, reunindo-se com toda a sua gente em um grande conselho. Enquanto eles decidiam sobre o que deveriam fazer, a jovem foi ao encontro do inimigo, dizendo a seus parentes que iria entrar em oração para atrair sobre a sua cabeça os resplendores da luz eterna, e que ninguém atrapalhasse a sua meditação.

Como eles estavam acostumados com seus êxtases, que duravam alguns dias, de nada suspeitaram. Então, ela entregou-se como um cordeiro ao seu algoz, impondo ao mesmo tempo que ele respeitasse as suas condições.

Gonzalo sentiu por Azora tudo aquilo que um ser depravado poderia sentir, e, ao querer manchar o rosto da moça com os seus lábios impuros, ela o deteve com um gesto imperioso. Assim, ele ficou como que petrificado diante da sua espantosa timidez.

Os parentes de Azora, quando souberam do ocorrido,

prometeram vingar com a morte a desonra da virgem consagrada ao "Pai da Luz", mas ignoravam a mágica influência que a jovem exercia sobre seu algoz. Para eles, a mulher consagrada aos mistérios divinos havia sido profanada, e seu furor e sua raiva não tiveram limites.

Então marcharam, como procurando um animal em sua toca. Gonzalo, ao vê-los, sentiu renascer todos os seus maus instintos, momentaneamente adormecidos pela influência mágica da bela moça.

Quebrou-se o encanto e, auxiliado por seus capangas, aprisionou todos os sitiadores, amordaçando-os.

Azora perdeu a razão ao ser levada diante de seu pai, que era um ídolo para ela, aprisionado e coberto de insetos famintos, jogados sobre o seu corpo para que o devorassem lentamente.

Diante daquele mártir do amor paternal, Gonzalo consumou a ação mais infame, aquela que mais poderia ferir ao pobre desgraçado, profanando o corpo da pobre moça enlouquecida, que acabou cedendo aos desejos impuros daquele monstro, apagando por completo o brilho celestial de seus grandes olhos.

Por muitos dias, o pai de Azora sofreu esse terrível martírio de ver sua filha nas mãos de Gonzalo, que se deliciava em atormentá-lo, fazendo-o testemunhar atos que não podem ser descritos.

Quando Azora morreu, Gonzalo continuou insul-
tando seu infeliz prisioneiro, jogando em seu calabouço
toda sujeira de seus cavalos, cuspindo-lhe no rosto e
cometendo com aqueles que eram os defensores da
honra toda classe de abusos.

Depois de cruéis sofrimentos, o pai de Azora morreu.
Seus filhos também pereceram e, daquela tribo de valentes,
não sobrou ninguém. Todos sucumbiram em poder de
Gonzalo, que continuou a cometer infâmia após infâmia,
até que um de seus escravos o assassinou enquanto dormia
em seu leito, exausto e embriagado.

Sua vida foi tecida de crimes horríveis; sentia tanto
prazer no mal que não lhe faltava inteligência para saber
que o seu proceder era perverso.

No seu caminho, encontrou homens de coração
que se propuseram a educá-lo, mas ele os desprezou.
Por tudo isso, a sua expiação deve corresponder à gravi-
dade de sua culpa. Ele já encarnou diversas vezes, sendo
sempre a desgraça seu patrimônio.

Fez tanta coisa errada, mas nem por isto lhe falte,
em todas as suas existências, alguém que o queira bem.
Azora, agora um Espírito de luz, encoraja-o nas suas pe-
nosíssimas jornadas.

Em espírito, ela retornou à Terra, na última vez, com
o nobre propósito de iniciar a regeneração de Gonzalo,
mas a sua extrema sensibilidade não conseguiu resistir

ao choque violento que sofreu ao ver seu pai em tão lamentável estado. Sua tarefa foi além de suas forças; só Deus é infalível, e os Espíritos nem sempre sabem como medir a profundidade do abismo onde vão cair.

É muito mais difícil ver as misérias da Terra do que viver entre elas; há uma grande distância entre uma e outra coisa. São muitos os Espíritos que sucumbem diante de suas rudes provações e sacrifícios.

Nunca vamos nos cansar de dizer que, por mais criminoso que pareça um homem, não devemos corrigi-lo pela violência, que muita desgraça já carrega devido à enormidade de seus crimes.

Onde existe maior desgraça do que no crime? Que inferno pode ser comparado com a série interminável de penosas encarnações que tem que sofrer o Espírito rebelde inclinado ao mal? Em algumas delas, a loucura; em outras, a deformidade horrorosa; naquela outra, a miséria com todas as suas humilhações; em outras, sofrimentos que nos é impossível enumerar.

Porque, para somar todas as dores que o Espírito pode sentir, não existem números suficientes em suas tábuas aritméticas para o total. A imaginação perde-se quando se quer definir uma quantidade fixa para o infinito da vida, que nos envolve em absoluto.

Depois dessas encarnações horríveis, vêm essas existências lânguidas, tristes e solitárias. E, nelas, a vida é uma decepção contínua.

O Espírito já se inclina para o bem, mas seu amor não encontra recompensa. As almas, aparentemente ingratas, olham com indiferença aos primeiros passos daquele pobre sofredor que quer amar e não encontra em quem depositar o seu carinho.

Até mesmo as flores murcham com seu hálito antes de oferecer-lhe fragrância. Essas existências são muito dolorosas. Essa é a expiação sofrida atualmente pela maioria dos homens que estão na Terra. São Espíritos de longa história, semeada de horrores e crueldades.

Durante esse período é que o homem precisa saber algo de sua vida, porque já tem conhecimento suficiente para compreender as vantagens do bem e os prejuízos do mal. Tudo chega no tempo certo, por isso nós viemos, para despertar a atenção dos homens. Essa é a razão de acontecerem os fenômenos mediúnicos de efeitos físicos diversos, movimentando mesas e objetos, mudando-os de lugar...

Esses fenômenos, que ocorreram em diferentes pontos da Terra, são as vozes dos Espíritos, que se tornaram necessárias, para que os homens compreendessem que não estão sozinhos no mundo. Evitamos muitos suicídios, e a muitas almas doentes temos devolvido a saúde.

Para esses sábios orgulhosos, temos demonstrado que a ciência humana é um grão de areia em comparação à ciência universal infinita.

Realizaremos uma enorme revolução, porque é chegada a hora do progresso para as novas gerações deste planeta.

O homem está começando a conhecer a verdade. Se agora a rejeita, é porque a luz o deslumbra, mas, com o passar do tempo, todos irão se acostumar com ela. Crescerá o círculo da família da Terra, e os homens verão nos Espíritos os membros de sua família universal.

Vocês serão mais compassivos com os criminosos quando souberem que vocês também o foram, e talvez amanhã voltem a sê-lo.

Ao Espírito apegado ao mal, custa-lhe muito decidir-se pelo bem. É como o neném que dá um passo e retrocede cinco, e anda repetidas vezes no mesmo lugar. Da mesma forma vocês agem, e assim também agem todos os Espíritos da Criação, com a diferença de que alguns têm mais decisão que outros, e mais inclinação para sofrer a penalidade que se impuseram.

Vocês que procuram em nossa comunicação saudável um conselho útil e ensinamento, aproveitem as instruções do Mundo Maior. Sempre que estas acontecem, marquem o caminho da virtude, e não bajulem seus vícios, nem patrocinem suas fraquezas.

Desconfiem sempre de todo Espírito que promete mundos de glória às pessoas assim que deixam a Terra. Estudem a sua história, olhem para si sem paixão, e verão que a humanidade é muito atrasada. Ela é pequena, microscópica e cheia de defeitos.

Os humanos são ciumentos, vingativos, invejosos, gananciosos, amigos de si mesmos, mas não do seu próximo.

Com uma túnica tão manchada, não esperem sentar-se à mesa do Pai. Para isso, precisam cobrir-se com vestes brilhantes e assim poder penetrar nas moradas onde a vida é isenta de sofrimentos, sem que por isto os Espíritos deixem de se entregar ao cultivo das ciências e ao trabalho nobre de investigação, porque eles sempre têm algo mais para aprender.

Os Espíritos superiores vêm demonstrar que a alma nunca morre. Ensinam que o homem é responsável por si mesmo, em premiar-se ou castigar-se, e que as leis de Deus que regem a natureza são imutáveis.

Viemos para aconselhá-los, para fortalecê-los, para ensiná-los a conhecer a harmonia universal, para contar a história de seus erros de ontem, a causa de seus infortúnios de hoje. Esta é a missão dos Espíritos superiores que estão perto do homem: estimulá-los a trabalhar no cultivo de sua razão, que irá conduzi-los ao perfeito conhecimento de Deus.

Quando os homens compreenderem que na Criação tudo é justo, então chegará a hora em que adorarão a Deus em espírito e verdade. Louvarão o Seu nome com "Hosanas" prometidas pelas religiões, que ainda não foram cantadas na Terra pela raça humana.

As aves são as únicas que as entoam, quando cumprimentam o astro Rei do dia em seu esplêndido aparecimento.

Lembrem-se sempre de que não há lamento sem história, nem boa ação sem recompensa. Trabalhem no seu progresso e, quando vocês encontrarem um desses infelizes, como o Espírito que deu origem à nossa comunicação, sintam piedade dele, porque ainda o esperam horríveis sofrimentos, muitas existências dolorosas, nas quais a solidão será a sua recompensa.

Como já dissemos antes, o Espírito nunca está sozinho. Acontece na alma doente o que acontece com o homem quando sai de uma doença grave; está tão delicado, tão impertinente, tão caprichoso, tão exigente, que toda a sua família tem que mimá-lo, acariciá-lo e prestar-lhe os mais ternos cuidados.

Isso também exige o Espírito quando deixa o caos de seus erros e começa a sua reabilitação. Ele quer o amor da família, a simpatia dos amigos, a consideração social, e, como não ganhará o que deseja, e como não o merece, não o tem.

Apesar de não faltar um ser que lhe queira bem e dele se compadeça, isso não é o suficiente. Sempre quer mais, corre desejoso atrás de um fantasma que os homens chamam de felicidade; é como o judeu errante da lenda[1], que atravessa o mundo sem encontrar um posto hospitalar para seu descanso.

A maioria dos seres encarnados na Terra é doente convalescente, e somente nos Espíritos benfeitores encontraremos os médicos da alma, que vão saciar a nossa sede.

Vocês estão cansados e fatigados, têm fome e têm frio. Descansem um pouco; os seus amigos do outro lado da vida querem fazer sua jornada menos dolorosa, demonstrando os fatos inegáveis de que, na vida infinita, tudo é justo.

Adeus.

O Espírito Guia

---

[1] Lenda do Judeu Errante: o judeu errante, também chamado Ahsverus, é um personagem mítico, que faz parte da tradição oral cristã. Diz a lenda que Ahsverus foi contemporâneo de Jesus e trabalhava num curtume ou oficina de sapateiro, em Jerusalém, numa das ruas por onde passavam os condenados à morte por crucificação, carregando suas cruzes. Na Sexta-feira da Paixão, Jesus Cristo, passando por aquele mesmo caminho, carregando sua cruz, teria sido importunado com ironias ou agredido verbal ou fisicamente, pelo coureiro Ahsverus. Jesus, então, o teria amaldiçoado, condenando-o a vagar pelo mundo, sem nunca morrer, até a sua volta, no fim dos tempos. (Fonte: Wikipédia.)

Amália Domingo Soler | traduzido por Luis Hu Rivas

Reflexão

Após o dito pelo Espírito Guia, o que poderemos manifestar?

Que concordamos com suas considerações razoáveis. Por dolorosa experiência, temos que lhe conceder a razão e repetir com ele que a Terra é um hospital de gerações doentes que estão passando à convalescença. Somente os Espíritos de boas intenções podem conseguir, com seus bons conselhos, o nosso alívio e regeneração.

Com relação a nós, devemos ao estudo do Espiritismo as mais puras alegrias de nossa vida. Ganhamos uma profunda resignação e uma convicção íntima de que ninguém tem mais do que merece. Essa certeza é a verdadeira; a única felicidade que pode ter o Espírito em meio à sua expiação.

Estudemos a natureza, admirando a precisão matemática de suas leis, trabalhando quanto nos for possível em nosso progresso. E, quando a solidão se abater sobre nós e o desalento nos dominar, olhemos para o céu e veremos nele os esplendores da eterna vida.

Assim, dizemos: *Na criação, tudo é justo!*

3

O recém-nascido sem braços e sem pernas

Amália Domingo Soler | traduzido por Luis Hu Rivas

Numa das preces que rezam os católicos romanos, chamam a este mundo "vale de lágrimas". Eu acredito que é a melhor definição que pode ser feita desta prisão do universo. Porque, realmente, não existe nenhum ser que possa vangloriar-se de dizer: *Sou feliz, em toda a acepção da palavra!*

A maioria dos homens poderosos tem o costume de sofrer de doenças incuráveis. Existem milionários nos Estados Unidos que podem alimentar-se apenas com copos de leite em pouca quantidade. Outros não podem dormir porque se asfixiam, mesmo que possuam milhões de renda; este dinheiro não lhes proporciona o menor prazer, tornando-se assim os mais pobres.

Se alguns são fortes e robustos, carecem do mais indispensável para sustentar suas forças vitais. Eles observam as forças diminuírem na sua juventude plena, como uma lâmpada, desligando-se aos poucos.

Portanto, a felicidade é uma nuvem de fumaça que se dissolve ao menor sopro do vento do furacão da vida, como se desfaz a névoa aos primeiros raios do sol. Mas, no meio de tantas dores, existem distintos graus; alguns são suportáveis e outros, insuportáveis.

Conversando há poucos dias com uma amiga, ela me diz o seguinte:

Relato

Algum tempo atrás, eu fui a um reservatório de água e lá encontrei uma família que nunca vou esquecer. Formava um belo casal, ambos jovens, amáveis e simpáticos, e seus semblantes irradiavam alegria.

Os dois amavam-se, com esse amor primeiro, que se assemelha a uma árvore florida, à espera de ser mais tarde um belo pomar de frutos maduros. Uniram-se por amor, somente por amor.

Ele era um funcionário modesto, ela uma humilde costureira. Eles se olharam e se amaram. Uniram-se para receber a bênção, ele pensando na chegada de seu primeiro filho. Ela, contemplando o menino Jesus, pediu a Deus ter um filho tão belo como aquela figura angelical.

Um ano depois, o casal apaixonado sentiu-se dominado pela ansiedade mais viva e amorosa. Fazendo poupanças, eles conseguiram comprar todo o necessário para vestir a um recém-nascido: camisas pequenas com belas rendas, roupinhas brancas com finos bordados, chapeuzinhos belíssimos, os mais formosos e os mais delicados; tudo parecia pouco para o neném, que devia chegar pedindo beijos com o seu sorriso.

Finalmente, chegou o momento supremo! Áurea sentiu as agudas dores do parto laborioso e deu à luz uma criança. Quis vê-la imediatamente. O marido e as pessoas ao seu redor estavam tristes e silenciosos.

Parecia que não a ouviam; entreolhavam-se e cochichavam, até que Áurea gritou alarmadíssima:

— Vocês não estão me ouvindo? Quero abraçar o meu filho! Ele está morto, por acaso?

— Não, mas... — respondeu o marido.

— Mas o quê? O que aconteceu?

— É que a criança não tem braços, nem pernas!

— Que importa? Ficará mais tempo em meus braços. — respondeu Áurea, abraçando o seu filho com uma ânsia delirante.

O neném era belíssimo, branco como a neve, com olhos azuis e cabelos loiros abundantes, e seus grandes olhos tinham um olhar muito expressivo. Quando eu conheci o menino, ele devia ter oito ou dez meses, e realmente era belíssimo.

A mãe era louca por ele, e seu pai também. Mas, quando sua esposa estava fora do alcance de sua voz, o pai dizia com profunda amargura:

— Quanto eu desejei um filho, e veio um, sem braços e sem pernas! Como é injusto, meu Deus! Se o meu filho viesse num lar rico, onde pudesse dar-lhe todos os cuidados, mas eu sou tão pobre!

Acredite! Aquele menino vive na minha memória. O que terá sido dele em outra vida? Qual papel terá representado na história?

Comentário da médium

Eu vou perguntar, minha amiga, porque sua história me impressionou muito. Em verdade, noite e dia eu penso nesse menino. O quanto deverá sofrer ao tornar-se adulto e não ter os braços nem as pernas! Que horror! E provavelmente será um ser de grande inteligência. Vai querer voar com o seu pensamento e não terá muita escolha, a não ser permanecer na inércia mais dolorosa.

Não é uma mera curiosidade que me guia, mas eu quero saber, se possível, a razão para esta terrível expiação.

Psicografia

"Pelo fruto conhecereis a árvore", dizia Jesus, pois de cada ser humano que você vê, carregado de privações desde o momento do nascimento, pode-se deduzir, sem a menor dúvida, que de tudo o que hoje lhe falta é porque abusou nas suas encarnações anteriores.

Se não tem as pernas, sinal de que, quando as tinha, serviram-lhe para fazer todo dano possível. Talvez fosse um espião que correu atrás de alguns infelizes, ansioso para acusá-los de crimes que não cometeram. Com as falsas declarações, fez abortar transcendentais conspirações que, quando descobertas, produziram muitas vítimas.

Talvez corresse para precipitar em um abismo seres indefesos que o estorvavam de realizar seus iníquos planos. O ser humano, que reencarna com as pernas em falta, tem que tê-las empregado para atormentar seus inimigos. Devem ter sido o flagelo das pessoas que o cercavam.

A falta de membros tão necessários destaca uma crueldade sem limites e um desejo de fazer o mal impossíveis de descrever. Alguns instintos tão perversos atestam o prazer de fazer o mal pelo próprio mal. Coitado daquele que nasce sem pernas!

Não tem braços? As mãos são tão úteis à espécie humana, para fazer com elas as obras de titãs e os labores extremamente delicados. Talvez fossem usadas para assinar sentenças de morte que levaram inúmeras vítimas à forca, principalmente as inocentes.

Talvez tivesse prazer em apertar os parafusos de horríveis instrumentos de tortura, arrancando confissões de infelizes acusados, enlouquecidos pela dor. Quem sabe se escreveu calúnias horríveis, que destruíram a tranquilidade e o amor de famílias felizes?

Podem-se fazer tantos danos com as mãos! Com elas, podemos colocar o pavio, perto dos materiais inflamáveis, e produzir um incêndio voraz. Com elas, o forte estrangula o fraco. Com elas, conseguimos esbofetear e tornar uma fera o homem mais pacífico e mais honrado. Com elas, se destrói o trabalho de muitas gerações.

Elas são as auxiliares do homem, que fazem maravilhas ou aniquilam o que existe. Quando se encarna na Terra sem as mãos, quanto dano deve ter sido feito com elas!

Não há necessidade de particularizar a história deste ou daquele. Todos os que ingressam na Terra sem um corpo robusto e bem equilibrado são os réus condenados à prisão perpétua que vêm cumprir a pena, porque não há nenhum recurso contra a sentença que um mesmo assina no transcurso da sua vida.

Não há juízes implacáveis, que neguem o perdão aos criminosos arrependidos. Não há juiz maior que a consciência do homem. Poderá embriagar-se com fáceis triunfos de seus crimes, poderá não ter ouvidos para ouvir as maldições de suas vítimas, poderá fechar os olhos para não ver os quadros de desolação que ele produziu e estacionarem-se milhões de séculos. Mas vai chegar um dia em que, a despeito de si mesmo, acorde, e então ele vai ver, ouvir e reconhecer a sua pequenez. Ele mesmo vai chamar seu julgamento e sua sentença final — sentença que vai cumprir hora a hora, dia a dia, sem que se exima do tormento por um só segundo, porque tudo está sujeito a leis fixas e imutáveis.

Não duvide. Os criminosos de ontem são hoje: aleijados, cegos, mudos, idiotas, pessoas sem pernas, sem mãos, os que padecem de fome e de sede; são os perseguidos pela justiça.

Vocês têm um ditado que diz: "Não confies nos homens que têm a mão aleijada por Deus". A ideia é mal expressa, mas no fundo é uma grande verdade.

Se os homens olharem bem, verão que a maioria desses desgraçados revela, no seu semblante, a degradação de seu Espírito.

A destra de Deus não imprimiu a ferocidade em seu rosto, e, sim, o acúmulo de seus crimes. São seus maus e perversos instintos que endureceram as linhas de seu rosto.

Para esses prisioneiros, deve ter-se toda compaixão, para guiá-los pelo melhor caminho, como vocês fariam para com seus filhos. Eles são os mais necessitados, os mais aflitos.

No meio da abundância, não há para eles água na fonte, trigo nos campos, frutos nas árvores, calor no lar, na família. São os judeus errantes da lenda: andam sempre sem encontrar uma pedra para se sentar.

É muito ruim ser mau!

Adeus.

O Espírito Guia

Reflexão

É correto o que o Espírito Guia disse: se pelos frutos se conhece a árvore, "é muito ruim ser mau!".

4

A velhice de cento e cinquenta anos

Amália Domingo Soler | traduzido por Luis Hu Rivas

Relato

Morreu em Belgoroff, na Rússia, um mendigo com cento e cinquenta anos de idade, cuja vida novelesca e interessante tem episódios realmente fantásticos.

Este homem, chamado Andrés Basisikoff, começou a mendigar desde os quinze anos. Primeiro, fingiu ser aleijado, depois surdo, depois coxo e finalmente cego. Desde os sessenta anos se fez de um surdo-mudo quase perfeito.

Bem, em virtude de tais escolhas, o bom Andrés Basisikoff conseguiu reunir uma fortuna em milhares de rublos. Com esse dinheiro, adquiriu três residências, que colocou no nome de um de seus filhos, enquanto ainda continuava pedindo esmola como qualquer mendigo. Ele viajava de uma cidade para outra, adquiria casas e carros, para depois entregar aos filhos, e continuou a sua vida de pedinte "afortunado".

Ele morreu, como foi dito, aos cento e cinquenta anos de idade, deixando para os seus oito filhos uma fortuna, entre fazendas e dinheiro em espécie, no valor de dois milhões de rublos.

Comentário da médium

A notícia que precede estas linhas chamou-me muitíssimo a atenção. Quando eu a li, exclamei com sobressalto:

— Que expiação tão longa, cento e cinquenta anos!

Que história terá este Espírito? Deve ter sido muito acidentada, e deve ter errado muito para merecer tantos anos de tortura. Temos que admitir que a vida seja pesada, quando cumprimos doze lustros ou ainda aos sessenta anos de idade.

Por mais vigoroso que seja o organismo, este começa a se deteriorar. Várias doenças anunciam a velhice; as ilusões que tivemos na juventude são semelhantes às flores: murcham quando são desfolhadas, e o mesmo acontece na velhice, permanecendo apenas uma melancólica lembrança.

A vida sem ilusões não tem atrativos, não tem graça; é uma doença lenta, sem grandes crises, mas, enfim, doença.

Pressentindo que o mendigo russo devesse ter uma

triste história, eu perguntei ao guia espiritual de meus trabalhos mediúnicos literários se estava certa em acreditar que a sua longa peregrinação na Terra era um castigo por suas culpas em anteriores existências. O Espírito Guia disse-me:

Psicografia

O presente é sempre consequência direta do passado, assim como o futuro o é do presente. A vida é uma série de acontecimentos ligados estreitamente entre si, é como um novelo sem pontas soltas; por mais enrolados que estiverem esses fios, eles nunca se soltam.

Esses nós da teia da vida são de tal natureza que, mesmo que a violência queira quebrá-los e, às vezes, dando a impressão de consegui-lo, existem fios invisíveis muitos resistentes, que não se separam, nem a morte conseguindo quebrá-los.

Não precisamos desatar nem cortar os "nós", como fez o conquistador Alexandre, o Grande, quando com a sua espada cortou o nó feito por Górdio[1], rei da Frígia.

---

[1] Nó górdio: a provável lenda do nó górdio remonta ao século VIII a.C. Conta-se que o rei da Frígia (Ásia Menor) morreu sem deixar herdeiro e que, ao ser consultado, o Oráculo anunciou que o sucessor chegaria à cidade num carro de bois. A profecia foi cumprida por um camponês, de nome Górdio, que foi coroado. Para não se esquecer de seu passado humilde ele colocou a carroça, com a qual ganhou a coroa, no templo de Zeus e a amarrou com um nó a uma coluna, nó este impossível de desatar e que por isso ficou famoso.

Górdio reinou por muito tempo e, quando morreu, seu filho Midas assumiu o trono. Midas expandiu o império; porém, ao falecer, não deixou herdeiros. O Oráculo foi ouvido novamente e

O Espírito, livre ou forçosamente, terá que quitar suas contas em inúmeras encarnações. De nada serve ser sábio ou considerado um verdadeiro destaque no mundo científico, se a ciência não se uniu ao sentimento no estrito cumprimento do dever.

O grande entre os grandes retornará à Terra, e a recompensa será dada a cada um segundo as suas obras.

Voltando ao relato daquele indivíduo que, na sua recente encarnação, simulou defeitos físicos para obter lucros e acumular riquezas nesse mundo, muitos séculos atrás:

No florescimento da Grécia, viveu entre aquela plêiade de homens ilustres, destacando-se como Ataulfo, o materialista.

Ele procurou o segredo para prolongar a vida. Detestava a morte, e, mais do que a morte, a velhice. Vivia dizendo que era humilhante e vergonhoso deixar-se dominar pela decadência física; que a inteligência deveria servir para buscar remédios eficazes, para vencer a fraqueza orgânica... Que o homem não devia resignar-se a morrer como morrem os animais irracionais, imolados ante os deuses.

Ataulfo era mestre em muitas ciências. Dedicou-se,

---

declarou que quem desatasse o nó de Górdio dominaria toda a Ásia Menor.

Quinhentos anos se passaram sem ninguém conseguir realizar esse feito, até que em 334 a.C. Alexandre, o Grande, ouviu essa lenda ao passar pela Frígia. Intrigado com a questão, foi até o templo de Zeus observar o feito de Górdio. Após muito analisar, desembainhou sua espada e cortou o nó. Lenda ou não, o fato é que Alexandre se tornou senhor de toda a Ásia Menor poucos anos depois.

É daí também que deriva a expressão "cortar o nó górdio", que significa resolver um problema complexo de maneira simples e eficaz. (Fonte: Wikipédia.)

com seus discípulos, a buscar um remédio tônico que pudesse revigorar os corpos enfraquecidos pelo peso dos anos.

Ele sonhava com a vida eterna. Queria viver muitos séculos, e, claro, como não compreendia que o Espírito é eterno e que poderia viver desligado do corpo, empreendeu todo o seu esforço em fortalecer o seu organismo. Assim, criou várias fórmulas para renascer, como ele dizia.

Seus estudos e seus experimentos provocaram muitas vítimas, sacrificando inúmeras crianças inocentes e meigas, além de belas jovens. O velho precisava beber contadas gotas de sangue de uma virgem, misturado com uma pequena quantidade de pó humano, ou mesmo de ossos de crianças que eram pulverizadas.

Ele cometeu muitos crimes naquela existência, mas os fez sem grande responsabilidade para si, porque não matou pelo prazer de matar, não se satisfazendo com o sofrimento das vítimas.

Pelo contrário, evitava-lhes o sofrimento; ele só queria encontrar uma maneira de permanecer vivo por longos séculos. Segundo a sua teoria, se os homens conseguissem viver por muitos anos, adquirindo continuamente novos conhecimentos, a Terra seria um paraíso, porque cada ser a embelezaria com suas invenções e descobertas.

Ele sonhava, mais uma vez, com a verdade da vida.

Não se contentava em ver a morte de um sábio na flor da idade. Lamentava as energias perdidas, as iniciativas que tinham sido paralisadas e, a todo custo, queria lutar contra a morte. Amava a vida com verdadeira idolatria, tornando-se muito velho, não pelas misturas que tomou, mas por medidas higiênicas às quais se submeteu ao atingir a meia-idade. Foi um modelo de continência, tendo regulado de forma admirável as suas horas de trabalho, de repouso absoluto e de meditação.

Ele vislumbrou a vida eterna, suspeitando de que havia um poder superior a todos, mas essa força não era do seu agrado. Queria ser grande por si só; era a personificação do orgulho, e queria conquistar tudo pelo seu próprio esforço.

Quando se desprendeu do corpo, completamente inutilizável pelo enorme peso dos anos, seu espanto não teve limites. Ficou tão chocado ao ver o que nunca tinha sonhado: a vida do Espírito separado do corpo. Se for possível usar uma frase, diríamos que *Ataulfo enlouqueceu ao encontrar a eternidade, com leis tão diferentes das que ele conhecia.*

O sábio orgulhoso viu o quão pequeno ele era! Quando compreendeu que os séculos eram muito menos do que segundos no relógio do tempo, ele, que cometera muitos assassinatos para prolongar a vida em poucos anos, encontrava-se cheio de vida, sem precisar daquele corpo cuja conservação fizera-o realizar tantos abusos.

Logo que retornou à Terra, ansioso por novas descobertas, chegou a penetrar vitorioso no templo da glória por suas invenções e descobertas, que visavam prolongar a vida do homem — sem dores, sem perda de forças, mesmo não usando os meios anteriores de sacrificar crianças e virgens em prol da ciência.

Ele usou outros meios que causaram a ruína de muitas famílias. Para fazer longas viagens, aproveitou a riqueza de muitos, fazendo promessas de lucros enormes que nunca chegou a cumprir, pois se esquecia facilmente de seus cooperadores. Seu orgulho o cegava e acreditava ainda que lhes estava fazendo um grande favor ao despojá-los de seus bens, para buscar uma verdade científica, associando-os de alguma forma aos seus gloriosos empreendimentos.

Tornou-se muito sábio, dando a volta ao mundo, quando as viagens eram quase impossíveis e difíceis de vencer. Mas o seu coração estava seco; as doçuras do amor eram-lhe totalmente desconhecidas.

Um dia, porém, sentiu um frio na alma: encontrou-se no mundo espiritual muito só, mesmo com toda a sua ciência. Escutara as advertências de seu guia espiritual e, finalmente, convencera-se de que a sabedoria sem o amor é como uma fonte sem água, como uma árvore cuja altura atinge o céu e não gera sombra nem fruto. Reconheceu a grandeza de Deus e, com o desejo mais vivo de igualar a sua bondade e a sua ciência, iniciou uma série de existências expiatórias, muitas vezes morrendo na infância.

Aquele que sacrificou tantas pessoas inocentes, nesta última existência, quis permanecer na Terra o maior tempo possível, em humilhação. No passado, o seu orgulho o havia cegado, pensando ser maior do que toda a humanidade, e agora devolvia uma fração do que tinha roubado. Quando ele pedia dinheiro, não era para viver confortavelmente, mas para que assim vivessem seus filhos, que haviam sido despojados de seus bens em outra encarnação, para satisfazer seus caprichos e sua vaidade.

O sábio de ontem, que tanto cuidou de seu organismo, na última existência usou seu corpo para mentir, para enganar, para se aproveitar de um defeito não aparente.

Quantas reflexões podem ser retiradas dos diversos usos que fez do corpo o grande sábio de ontem!

Você dispunha de razões para acreditar que o Espírito do mendigo era possuidor de uma longa história? A quantos precipícios leva a ciência sem amor?

Adeus.

O Espírito Guia

Amália Domingo Soler | traduzido por Luis Hu Rivas

Reflexão

Podemos aprender muito com a comunicação anterior.

Já dizia Victor Hugo: "Sem amor, o sol iria desligar-se". E eu digo: que aquele que não ama, não vive.

5

A exploração de uma criança deforme

Amália Domingo Soler | traduzido por Luis Hu Rivas

Relato

Uma história interessante: a exploração criminosa

Durante vários anos tem vagado pelas aldeias e vilarejos da França um grupo de ciganos, que vivem de mostrar às pessoas um fenômeno muito raro.

Escondido em uma caixa, e através de um vidro, eles mostravam um menino selvagem, dizendo que ele não tinha nenhum dos membros inferiores e que falava uma língua estranha e bárbara.

Mas o menino não era nem um monstro, nem um selvagem, e a língua que falava era nem mais nem menos que o falado nas regiões da Galícia, no norte da Espanha.

O pobre rapaz, na verdade, era uma vítima da exploração dos ciganos.

Eles tinham amarrado firmemente as pernas da criança numa disposição violenta e cruel, escondidas por um fundo duplo na caixa, dando a impressão de carecer delas.

Mas como o menino espanhol tinha caído nas mãos dos ciganos?

Muito simples. Viajando pela Galícia, o grupo nômade, quando viu o menino, enganou os seus pais, conseguindo que eles o cedessem, sob a promessa de devolvê-lo após um ano. Os ciganos prometeram um abono para a família, uma grande quantia em dinheiro quando devolvessem o rapaz.

Naquela época, ele tinha mais ou menos seis anos de idade, e a quadrilha errante o levou nas suas viagens pela Galícia, por León, Logronho e Navarra, até que ingressaram na França.

No início, o garoto foi tratado relativamente como um rei. Mas, fazendo jornadas terríveis, pois eram longas essas viagens, ele montava uma mula de grande altura, cujo lombo mal conseguia abranger com suas perninhas.

O resultado foi que, depois de algum tempo nessa situação, quando paravam à noite para descansar, desciam o menino do animal, e seus membros estavam tão doloridos que mal conseguia andar.

Com isso, pensaram os ciganos em inutilizar por completo as pernas do menino, amarrando-as e aprisionando-as numa caixa de fundo duplo.

Amália Domingo Soler | traduzido por Luis Hu Rivas

Dez anos durou a tortura do pequeno espanhol, com incidentes variados e sempre muito tristes. Sem saber uma palavra de francês, era incapaz de entender qualquer pessoa e contar-lhe da exploração que vinha sofrendo. Muito menos podia pensar em fugir de seus algozes, pela condição em que se encontrava.

Passados dez anos, finalmente aprendeu a língua francesa e, aproveitando uma oportunidade favorável, pôde denunciar às autoridades como fora explorado e o seu martírio.

Foi assim que recobrou a sua liberdade. Mas a imobilidade e a posição forçada das pernas durante tanto tempo tinha produzido no rapaz uma singular forma de paraplegia. Foi necessário conduzi-lo ao hospital de Bordeaux, onde foi atendido.

Através da mediação do cônsul espanhol, foi transferido para a Espanha e internado no hospital geral de Madri, onde ficou sob os cuidados do doutor Jaime Vera, que acreditou na lenta recuperação do menino, por meio de um tratamento apropriado.

Comentário da médium

Com profundo sentimento li o relato anterior. Embora seja uma notícia muito antiga, pensei bastante no protagonista e na sua história.

Sem dúvida, era um ser que errou muito. Nada mais triste do que ser ruim.

Aquele que pratica o mal se degrada.

O pensamento que precede à realização de um feito maligno torna o indivíduo perverso e atrai para si Espíritos maldosos que têm prazer em atormentar.

Quem pratica o crime não cai só no abismo, outros também caem com ele.

Desejando continuar meus estudos de leitura da humanidade, eu perguntei ao guia espiritual dos meus trabalhos mediúnicos sobre o passado desse infeliz que viveu aprisionado muitos anos, e recebi a seguinte comunicação:

Psicografia

"Pelo fruto conhecereis a árvore", disse Jesus. Da mesma forma, pela existência de cada ser é possível conhecer uma parte de sua história. Pelo menos a mais culminante, a que marcou época na sua vida.

O menino que foi vítima da ganância desses maus exploradores da humanidade por muitos séculos foi um sábio sem coração.

Os naturalistas e os médicos mais famosos fazem experiências com vários animais, inoculando o vírus de várias doenças que dizimam a humanidade. Estes animais morrem, submetidos a essas experiências científicas. A morte serviu de útil ensinamento, para evitar mais tarde a tortura dos homens atacados de similar doença.

Assim, o menino martirizado, a quem chamaremos de Ascanho, em sucessivas existências fez diversos experimentos.

Ascanho estudava se a inteligência humana teria melhor desenvolvimento num corpo saudável e forte ou num corpo prejudicado pela paralisia de seus membros inferiores. Portanto, ele deixou muitos homens condenados a um silêncio forçado, em nome da ciência.

Ascanho, durante muito tempo, foi possuidor de bens e de grande fortuna. Teve inúmeros escravos e, nos filhos desses servos, aqueles que apresentavam uma inteligência singular, equilibrada, fixou sua atenção e começou seus estudos cruéis.

Alguns tiveram as pernas amputadas, outros foram pressionados entre moldes de ferro, em outros produzia feridas incuráveis.

Ele ensinava os escolhidos em seu experimento: a ler e a escrever, a pintar, a modelar o barro e a cantar.

Dedicava maior atenção às crianças que exibissem maior intelecto. Ao mesmo tempo, educava de igual outras crianças saudáveis e robustas e, com isso, estudava a diferença que existia entre elas.

Ascanho tratou os infelizes, que eram submetidos aos seus extraviados estudos, da mesma forma ou pior do que os médicos de hoje tratam os pequenos animais. Não se comprazia em vê-los sofrer, isso não, mas pouco se importava com os seus gritos de angústia e desespero.

O que ele queria era observar se a inteligência necessitava do pleno uso, de todo o seu corpo para funcionar e elevar-se, ou se simplesmente bastava impressionar-se com a beleza da natureza e com todas as suas harmonias.

Ascanho procurou, sem que ele soubesse, a vida independente do Espírito. Naquela época, ainda não era conhecido o aforismo: "Mente sã em corpo são", nem teria servido para as suas pesquisas. Ele procurava algo que pressentia ou em que acreditava, mas que ainda não estava ao seu alcance.

Procurava inteligências que funcionassem independentes de um corpo; por essa razão, esmagava os organismos das crianças. Ao mesmo tempo, tratava de aplicar nos pequenos corpinhos o remédio para o mal causado. Queria ver como respondia a inteligência dessas crianças; se suas asas estavam voltadas para a terra, ou se se elevariam como as águias procurando a imensidão do infinito.

Nos dias atuais, ainda há homens que retiram os olhos de certas aves, porque dizem que, estando cegas, cantam muito melhor.

Dessa maneira, Ascanho mutilava seus pobres escravos, para ver se o pensamento deles fluiria melhor, faltando-lhes as pernas.

Aristóteles, o grande filósofo grego, dizia que "Os escravos eram uma propriedade animada".

Ascanho acreditava ser assim, e martirizou muitas crianças, porque era um sábio sem coração.

Não desfrutou do mal, mas, como causou muitas dores, justo é que, em seu próprio corpo, sofra mais de uma vez os tormentos que ele fez outros sofrerem.

Mas não pensem que ele encarnou obrigado a sofrer as consequências de seus atos, ou que seus algozes sejam menos culpados. Eu já disse muitas vezes que o papel de algoz nunca é preciso representar. Todo mundo é seu próprio algoz, quando sua expiação deve ser cumprida.

Você só tem que observar e ver como é verdade o que lhe digo.

Muitos homens possuem o suficiente para ser relativamente felizes, mas, se não merecem sê-lo, não o serão. Muitos são dominados pelo vício que mais lhes pode prejudicar, ou mesmo unem-se a uma família que os mortifica, os contradiz e os exaspera.

Há muitas pessoas que dizem: *Melhor teria sido viver num orfanato!*

Ter família é uma verdadeira calamidade. Cada um carrega em si todos os processos judiciais necessários para pagar uma causa. Cada um é o promotor que acusa e o advogado que defende; o juiz que profere a sentença e o carrasco que a executa. O homem leva tudo o que traz consigo.

Deus, em Sua infinita justiça, não poderia criar os seres para que fossem odiosos e repugnantes; as Suas leis são imutáveis e eternas. Assim como as crianças brincam com seus brinquedos, os homens brincam com as leis divinas. Estas duram e permanecem até que um sopro, que vocês chamam de morte, as desfaça.

Quantos juízes, verdadeiros criminosos, que ficavam contentes e satisfeitos com sua sentença, lançavam gritos de angústia quando eram cercados por suas vítimas. Caíam como que atingidos por um raio. Todo o seu poder, toda a sua autoridade, de nada adiantam mais; estão sepultados, e seu túmulo pode ser até de mármore ou jaspe, que não deixará de ser um túmulo. Será um depósito de vermes que devoram todo o seu corpo, movidos apenas pelo extermínio!

Eu vou repetir uma centena de vezes: não deixem de se compadecer dos agressores e das vítimas. Dos primeiros, porque se preparam para ser abatidos amanhã, e dos segundos, porque foram maus semeadores, cuja colheita agora está repleta de lágrimas.

Amém e lembrem-se de que as vítimas, tanto quanto os algozes, precisam de amor e compaixão.

Adeus.

O Espírito Guia

Reflexão

Muito pode ser aprendido com estas instruções verdadeiramente racionais, despojadas de todo o misticismo!

Como estão em harmonia com o meu pensamento! Eu sempre acreditei que Deus está além de nossas misérias e de nossas banalidades.

Quando os homens dizem: "Deus castiga Seus filhos rebeldes e beneficia os justos", acho que profanam a grandeza divina. Eu considero Deus como a Alma do Universo, que irradia luz para os mundos, e não como um professor chato da escola observando as ações de seus discípulos.

Adoro contemplar Deus na natureza, mas não tremo por Sua ira, tanto que confio na Sua misericórdia. Deus é justo, imutável, eterno, superior a todas as piedades e a todas as compaixões. Não precisa ser tolerante, porque é justo.

A lei de amor tem de ser cumprida, e, quando se cumprir a lei de Deus, vai ser para sempre o dia da felicidade universal.

6

Os mendigos ricos

Olhando os jornais, eu li uma notícia que prontamente chamou minha atenção.

Relato

Trabalho de mendigo

1 – "Há poucos dias foi levado pela funerária um indivíduo que se dedicava a implorar a caridade pública e tinha em seu poder sete mil pesetas, em moedas e notas."

2 – "Ontem à noite, foi levada para o asilo uma mulher esfarrapada e sem-teto; em seu nome foram encontrados bens avaliados em oito mil pesetas."

Comentário da médium

Que história tão horrível há por trás desses dois seres?

Para um melhor entendimento, vamos citar a história mitológica de Tântalo, que, segundo a lenda, foi lançado ao inferno, sofrendo um castigo memorável: um suplício de fome e de sede eternas.

Tinha que permanecer mergulhado num lago, cuja água chegava-lhe até o pescoço, mas, quando se debruçava para bebê-la, esta desaparecia.

Além disso, por cima de sua cabeça pendiam ramos de árvores com frutos saborosos, mas o vento os retirava de seu alcance sempre que tentava tocá-los para saciar sua fome.

Assim agiram esses dois infelizes; levavam com eles, simbolicamente, a água e a fruta madura, embora estivessem morrendo de sede e de fome. O que teriam feito no passado?

O Espírito Guia me disse o seguinte:

Psicografia

O que eles fizeram? Faltaram às leis divinas e humanas e hoje colhem a safra da semente, que em mau tempo semearam.

O mendigo, que hoje implora a caridade pública, em uma de suas passadas existências foi o prior de uma comunidade religiosa imensamente rica. O convento estava localizado na zona rural, cercado de muitas aldeias.

Os habitantes eram obrigados a dar ao prior do convento a prévia de seus frutos amadurecidos e abundantes de todas as suas colheitas e o melhor de seu gado. Coitado de quem não o fizesse! Era excomungado e ameaçado com a punição eterna do inferno.

Aqueles infelizes, verdadeiramente assustados, para não cair em pecado mortal, ofereciam humildemente tudo quanto possuíam para alcançar a glória eterna. Acreditavam nas promessas que lhes fazia o prior e sempre lhe levavam as melhores colheitas de suas fazendas.

Abusou de seu poder como o homem cuja ganância não conhece limites. Tanto assim, que se tornou o flagelo daqueles pobres seres ingênuos e simples, que o consideravam um verdadeiro santo.

Mas tudo tem seu término e, quando o prior deixou a Terra, deixou pra trás também todos os seus bens. Ao entrar no mundo espiritual, viu-se tão pobre, que não tinha um átomo sequer de virtudes.

Ele só tinha vícios, e vícios incorrigíveis. Apesar de o seu guia espiritual ter-lhe apresentado todos os erros por ele cometidos nessa encarnação, e indicado a necessidade de retomar o caminho do bem, ele voltou à Terra várias vezes, sempre ávido por dinheiro, e, mesmo que a sua expiação não lhe permitisse desfrutar de suas riquezas, tentava guardar seus tesouros.

E ele vai reencarnando na Terra, sem nunca ter casa

nem lar, e sempre temeroso de que a justiça lhe arrebate, um dia, todos os valores que conseguir possuir. Às vezes pede esmola, outras vezes rouba ou comete alguma fraude, mas sempre vivendo do modo mais miserável.

Já leva assim várias existências e faltam muitas ainda, porque ele bem sabe o mal que faz. Mas o ouro é para ele a cobra que se enrola em torno do seu pescoço e não o deixa respirar. Fez tanto estrago para possuir esse metal, que o ouro é o seu verdadeiro algoz.

Infeliz! Tende piedade dos mendigos que entre seus farrapos levam a água e a fruta madura, que não sacia a sua sede nem a sua fome!

Quanto à mendiga, que era dona de uma pequena fortuna, começou na atual existência a pagar o saldo de sua conta. Na sua encarnação anterior, era uma moça muito bela, filha do povo, mas que sonhava em ser uma grande senhora. Ela conheceu um idoso milionário e usou todos os artifícios para seduzi-lo. Era tão simpática, convidativa, amorosa e expressiva, que capturou por completo o carinho do ancião, e ele dotou-a de bens esplendidamente.

Mas ela não se contentou só com isso; conseguiu com que ele fizesse um testamento, beneficiando-lhe sua grande fortuna. Temendo que o ancião voltasse atrás no testamento, ela "comprou" um médico sem escrúpulos para que este ministrasse ao marido pequenas doses de veneno, que o fariam parecer morto, sem deixar sinais visíveis no paciente, que, aos poucos, foi perdendo toda a sua lucidez.

Nesse estado, ela levou o doente para viajar e, longe de seu país, abandonou-o num hotel, deixando-lhe apenas uma carteira com alguns valores. Mas, como o ancião estava um completo idiota, nada conseguia explicar ou dizer, e, assim, foi internado num asilo destinado aos octogenários, onde morreu sem perceber nada.

Ela, por sua vez, voltou para sua terra natal, onde encontrou o início da sua punição. A família do milionário entrou com uma contestação, e a justiça devorou o fruto de seu crime.

Morreu com um pouco menos que na indigência e, quando chegou ao mundo espiritual, encontrou a sua vítima, que generosamente a perdoou e aconselhou--a a não seguir mais por esse caminho. Atendendo ao pedido daquele a quem tanto prejudicara, ela resolveu saldar suas enormes dívidas; não era a primeira vez que cometia tais abusos.

Nesta existência, até encontrou meios para possuir um "punhado de ouro", mas dele não desfrutou, não tendo lhe servido para nada de útil; tornou-se escrava do dinheiro. Pagou com ingratidão a generosidade e o afeto verdadeiramente paternal oferecidos por seu protetor, que era uma alma extraordinariamente elevada.

Você estava com a razão ao dizer que muito se deve ter errado quando se vive de esmolas e se carrega consigo apenas o suficiente para satisfazer as primeiras necessidades, sem poder usufruir do supérfluo.

Compreendam esses infelizes, que sofrem a pior das sentenças.

Adeus.

O Espírito Guia

Reflexão

Em verdade, o morador de rua sente falta de tudo, e, ao querer guardar diligentemente aquilo que poderia salvá-lo do sofrimento, torna-se algoz de si mesmo. Por isso devemos viver dentro da estrita moral, para não nos qualificarmos como os excluídos, os párias, com os quais ninguém se importa, morando nas sombras, aqui e ali.

Como é verdade dizer que na culpa está o castigo!

7

O crime de um louco obsidiado

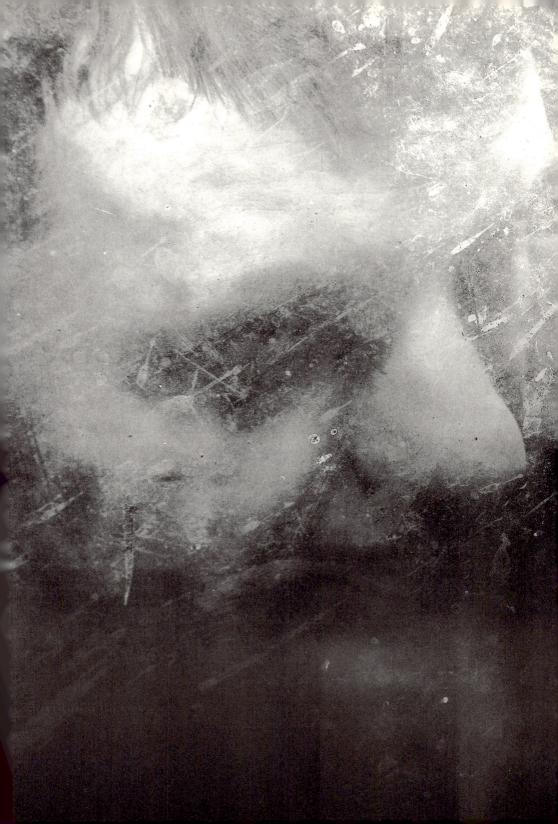

Tenho recebido, continuamente, cartas pedindo-me para perguntar aos Espíritos o porquê de muitos fatos e acontecimentos realmente interessantes e, muitas vezes, até terríveis.

Devo explicar aos meus queridos amigos e irmãos que não posso abusar das comunicações dos Espíritos por simples curiosidade, para poder conservar o que realmente é preciso: a comunicação para meus trabalhos literários.

Quando interrogo os Espíritos, é para aproveitar as suas histórias e transcrevê-las no papel, divulgando na imprensa espírita. Por isso, o meu trabalho é realmente produtivo, porque muitos leem meus escritos e aprendem com eles.

Outras vezes, eu tenho que optar pelo silêncio como resposta, porque o guia espiritual dos meus trabalhos literários diz, simplesmente, que nem sempre se pode aproximar do fogo, metaforicamente falando.

Há Espíritos cuja história é tão terrível, e tamanha é a sua inferioridade e degradação, que estão envoltos em uma névoa espessa; sua vibração fluídica é tão baixa que produz um mal-estar e uma angústia indefiníveis.

De fato deve ser, porque na Terra experimentei sensações muito dolorosas quando estive em certos lugares onde se reuniam esses seres inferiores ou cruzava por ruas onde a vizinhança era composta de mulheres perdidas e homens em total degradação.

Acredito que os Espíritos de Luz também devem sentir mal-estar quando encontram em seu caminho esses seres do mal.

Podem, após a primeira impressão, dominar-se e sentir compaixão pelos culpados, mas, no começo, rejeita-se com horror a tais seres inferiores.

Lembro-me perfeitamente de que, há muitos anos, visitei a prisão de Barcelona. Acompanhavam-me o carcereiro e um escrivão. Quando chegamos ao pátio da prisão, eu me detive em frente a um portão e fiquei horrorizada ao ver aquele enxame de homens miseráveis, muitos deles seminus, que vieram até a grade pedir cigarros, sorrindo maliciosamente.

Suas expressões eram tão deprimentes! Seus gestos...! Virei o rosto e murmurei com amargura, dirigindo-me ao carcereiro:

— Estes seres são homens?

— Bem, olhe para um prisioneiro que eu vou apresentar-lhe, para ver qual sensação experimenta.

Continuamos caminhando e entramos numa cozinha muito limpa. Todos os utensílios eram bem colocados e as panelas de cobre brilhavam como se tivessem um revestimento de ouro. Um homem baixinho e gordo estava afiando uma faca. Ao ver o carcereiro, parou, sorrindo timidamente.

Eu olhei ao redor e experimentei uma sensação muito dolorosa; parecia que colocavam, por todo o meu corpo, afiados espinhos e que martelos quentes batiam em minhas têmporas.

O escrivão, sem perder mais tempo, falou com ele: fez-lhe algumas perguntas para que eu tivesse tempo de observá-lo, mas eu me senti tão mal, que saí em disparada, pedindo água, porque parecia prestes a me sufocar. Então, com curiosidade viva, perguntei ao carcereiro:

— O que fez esse homem? Por que está aqui?

— Por quê? Ele estuprou as suas três filhas, e todas as três tiveram um filho; ele é o pai e o avô. Ele iria estrangulá-las, mas as três crianças foram salvas a tempo. Será transferido para outro presídio dentro de alguns dias.

— Que horror! Agora entendo por que eu não conseguia chegar perto desse homem.

O mesmo que acontece com os criminosos na Terra deve acontecer com os criminosos no mundo espiritual.

O que eu sei é que a mim foram feitas perguntas às quais não posso responder, porque, como diz meu guia espiritual: "Você sofreria muito... O melhor é deixar que os mortos enterrem seus mortos".

Relato

Há pouco tempo eu recebi a notícia de uma tragédia e fiquei muito interessada em saber sobre o começo desse drama, que ocorreu no Hospício de San Hipólito, no México.

Nesta casa de saúde, entrou em setembro de 1884 um doente chamado Ambrosio Sásamo.

Os médicos disseram que ele havia sofrido uma intoxicação por maconha, e também que era um maníaco compulsivo e homicida. De forte constituição física, ótima musculatura, com uma força hercúlea, ele dominava, sem qualquer exagero, a três homens.

Ele pertencia a uma família de neuropatas[1]. Sua mãe é uma histérica, o pai, um neurastênico, e o filho mais velho do casal, também doente.

Ambrósio colocou-se o apelido de "o deus da Terra",

---

[1] **Neuropatia:** em Medicina, refere-se a uma doença do sistema nervoso. (Fonte: Wikipédia.)

e no hospital tornou-se famoso por sua ferocidade. Batia-se brutalmente, rasgava as roupas e gritava: *Ninguém é como eu?*

Recentemente, entrou no hospital Antônio Marrom, um jovem doente, que não era louco. Por um descuido inexplicável, Marrom entrou no pátio onde passeava Ambrósio, que vestia uma camisa de força, acompanhado por dois guardas.

De repente, os guardas foram chamados por alguém, e Ambrósio ficou sozinho com Marrom, devendo lhe ter dito:

— Dê-me a liberdade.

Marrom, sem saber do histórico de Ambrósio, deve tê-lo desamarrado, deixando o louco solto. Agora, vendo-se livre e sem perder tempo, Ambrósio colocou a camisa de força em Marrom, agarrou-o pelos braços e levou-o à sua cela, trancou a porta e ficou sozinho com sua vítima.

Ninguém soube dizer como e o que aconteceu no interior da cela, mas os gritos dos outros internos chamaram a atenção dos guardas. Horrorizados, eles viram Marrom deitado no chão com a camisa de força e os pés completamente amarrados.

O louco, ajoelhado em frente ao cadáver, tentava extrair um enorme prego que ele mesmo havia incrustado com tanta força, que perfurara o crânio do infeliz Marrom, chegando a penetrar seu cérebro.

Seguraram o louco e, no interrogatório, perguntaram-lhe:

— Você matou um homem?

E ele respondeu:

— Sim, senhor.

— Por quê?

— Porque vocês me amarraram, e estou cansado disso tudo. Eu quero ser levado para outro hospital.

— Mas você está aqui porque está doente.

— Eu não estou doente.

— Sim, você é louco.

— Não, senhor. Não, sou.

— Por que você é tão mau?

— Porque estou amarrado.

— Se você fosse solto, você seria bom?

— Sim, senhor. Seria.

Muito mais longa e mais explícita é a notícia publicada no jornal *El Imperial,* do México, no dia 8 de junho passado. Mas este resumo é suficiente para termos uma ideia do terrível fato que aconteceu no Manicômio San Hipólito.

Comentário da médium

Desenlace de uma história de crimes deve ser a morte do infeliz Marrom, que, por uma série de circunstâncias inexplicáveis, tinha que estar à mercê de um louco terrível. Ainda mais um louco que nunca passeava sozinho, já que estava sempre acompanhado por dois guardas.

Não é por acaso que aconteceu o que aconteceu.

Marrom fora internado naquele sanatório por seu irmão (eles herdaram, recentemente, uma grande fortuna), que pagara generosamente ao diretor do hospital para sua internação.

Não era por acaso que Marrom estava naquele pátio destinado, exclusivamente, para entretenimento dos internos mais perigosos.

O que o jovem herdeiro estaria fazendo nesse pátio, precisamente quando os dois guardas foram chamados e o deixaram sozinho com o perigoso louco?

E por que o louco, consciente de que não poderia usar seus braços, pediu que Marrom o desamarrasse?

O que o levou a obedecer? E com que velocidade extraordinária aconteceu toda essa tragédia?

Isto não pode ser só uma casualidade; deve haver um motivo para isso tudo.

Não se morre de maneira tão cruel, sem antes ter cometido um delito semelhante. É a lei de causa e efeito. Mas quando e em que época Marrom teria cometido um crime parecido?

A sombra dos séculos teria eliminado as páginas escritas num livro cujas folhas se foram?

Inútil pergunta! Os delitos cometidos pelos homens não se apagam jamais. No quadro do infinito estão escritos todos os nossos vícios, os nossos abusos, os nossos crimes. São cifras indeléveis à espera da lei de Deus para se fazer a soma total.

Mas Deus não as somará todas de uma única vez, porque uma soma só significaria a perfeição absoluta de um Espírito, e a perfeição absoluta só Deus a possui.

Psicografia

Você está certa! Os homens na Terra, assim como os Espíritos no Além, terão um degrau a mais para subir ou um abismo a mais para cair.

O progresso não tem limites, o tempo não tem fim. Os Espíritos são os exploradores eternos, os trabalhadores incansáveis, os mineiros do universo e os aeronautas da Criação.

O dia na vida universal não se detém, e, na noite, o repouso não existe.

Agora, na história da humanidade, onde a primeira folha não se sabe ao certo em que época foi escrita, existem aos montes esses episódios terríveis, do mesmo jeito que existem os mais belos romances.

Cada Espírito é dono de usar seu tempo segundo as suas aspirações e os seus desejos. Entrega-se a toda classe de excessos, mortificando algumas vezes sua carne e, outras vezes, degradando o seu Espírito.

Você está certa ao dizer que o epílogo dessa história, como você chama o incidente que aconteceu num manicômio, é resultado de um drama.

Muitos que tomaram parte dele há tempo vêm lutando juntos!

Quatro são os atores que desempenharam o seu papel nessa cena final, sendo que três estavam encarnados na Terra e um desencarnado, do outro lado da vida. Vou mostrar, em breves linhas, um capítulo da história desses desventurados.

Você não está em condições de penetrar tão profundamente na vida íntima desses quatro seres, que ganharam grandes responsabilidades, mas deixaram-se dominar por suas selvagens paixões.

Numa existência, não muito longe, o que hoje se apelida "o deus da Terra" era um homem feroz e indomável. Para satisfazer os seus libertinos desejos, maculou a honra de muitas mulheres. Matou, cara a cara, mais de um marido burlado e mais de um pai desesperado pela desonra de sua filha, segundo as chances que ele tivesse.

Entre esses homens que morreram por suas mãos,

havia um conde que precisava lavar sua honra pela morte de sua esposa e de sua única filha, ambas desonradas por ele.

O conde jurou, ao morrer, perseguir por toda a eternidade o homem que roubara sua felicidade. Desde que Ambrósio encarnou na Terra, seu inimigo o persegue e, até hoje, não o deixa livre.

Você disse no início que, para ter uma morte tão cruel, deve-se ter cometido um crime similar, e você estava certa ao afirmar isso.

O jovem Marrom, que teve o crânio perfurado, causando-lhe a morte, na encarnação anterior não cometeu por sua mão tal crime, mas presenciou, alegremente, o martírio de um jovem guerreiro que foi vencido com deslealdade e traição.

O executor desse crime foi o Espírito do conde, que jurou não abandonar nunca a Ambrósio.

Unidos estão esses três Espíritos por uma série de crimes, cujos elos foram sendo formados em diferentes encarnações.

Marrom, que hoje aparenta inocência, tem muitas páginas escritas com sangue no livro da sua história. O Espírito do conde, obsediando Ambrósio, vingou-se do matador e da vítima, pois os dois lhe roubaram, em outros tempos, a honra, a fortuna e a felicidade.

Até o irmão de Marrom contribuiu para a realização da tal vingança, levando o pobre doente ao hospital onde deveria morrer, pois foi ele quem abriu a porta de tão triste lugar.

Num outro tempo, em outra encarnação, o irmão de Marrom foi o governador de uma fortaleza, onde mantinham os prisioneiros, homens e mulheres, por mandato religioso. Essas pobres e infelizes mulheres, que não queriam abjurar a sua religião e, ao mesmo tempo, desejavam se conservar virgens, tiveram que ceder às ameaças de homens ricos, que penetravam nas suas celas, embriagados e enlouquecidos.

O governador foi cúmplice de tão infames atrocidades, ao deixar entrar nas celas vários magnatas, um deles sendo Marrom.

Na ocasião, Marrom abriu as portas das celas da fortaleza, para saciar o seu brutal apetite, desonrando as mulheres indefesas. Na atual encarnação, as portas do sanatório é que foram abertas para que ele morresse, como fez morrer o jovem guerreiro, com o crânio perfurado.

Ele ria da agonia das vítimas em seus momentos finais. Gostava de vê-las sofrer, e o conde, o executor daquela crueldade, hoje levantou o braço de Ambrósio, aquele que achavam que era louco, vingando-se dos dois.

Todos eles tinham escrito sua sentença. "Então estava escrito?", você vai perguntar. Sim, já estava escrito, mas não pelo destino, e sim por uma série de crimes cometidos por todos eles.

Ambrósio, que passou por louco, na verdade não o era. Foi uma vítima do Espírito do conde, seu inimigo invisível, a quem ele também fez sofrer. Como a ciência pôde garantir que ele pertencia a uma família de desequilibrados, se ele não era?

Tinha momentos em que Ambrósio possuía uma lucidez muito clara, e dizia:

— Eu não sou louco, não! Eu não estou louco! Sinto que por minhas veias corre chumbo derretido; sinto que o meu cérebro explode e que mãos de ferro me oprimem a garganta... Tenho sede de sangue e, ao mesmo tempo, gostaria de fugir para longe, muito longe daqui, para viver em paz nos braços de uma mulher amada.

Compadeçam-se das vítimas e de seus inimigos invisíveis!

As vítimas sofrem a mais horrível de todas as torturas. Lutam com verdadeiros titãs, cuja força é tão poderosa, que o mais forte dos homens da Terra cai, dando-se por vencido.

Eu entendo que você sofra relatando tantos horrores, mas tudo isso é muito útil, tanto quanto os anatomistas que fazem a autópsia nos corpos inertes, a fim de estudar as doenças e os defeitos orgânicos que tanto atormentam a maioria dos homens. Assim também é conveniente falar do invisível, do desconhecido.

Não se olha através do telescópio o gigantesco espaço onde navegam inúmeros sóis? Os mistérios da vida após a morte também merecem ser estudados, porque viver sem noção do desconhecido é viver cegamente, praticando crimes sem remorso.

Já é tempo de saberem os homens que o céu e o inferno existem, e que estão situados em nós mesmos; que cada Espírito constitui seu paraíso e seu inferno.

Adeus.

O Espírito Guia

Reflexão

Bem disse o Espírito Guia: é útil levantar o véu que cobre a vida do passado.

Na verdade, sofre-se delatando crimes, mas as feridas do corpo cicatrizam. Apliquemos a cauterização da revelação da imortalidade da alma sobre os vícios incorrigíveis, as paixões, o ódio e a vingança.

Se, com os nossos escritos, conseguirmos deter

algum homem na continuidade de seus vícios, bendito seja o trabalho empregado!

Uma alma que acorda e vê a luz é um novo sol que irradia no universo!

8

O ganancioso miserável

Amália Domingo Soler | traduzido por Luis Hu Rivas

Mesmo acostumados a ver homens cujas peculiaridades e excentricidades conseguem nos chamar a atenção, sempre ficamos surpresos ao vermos um infeliz vítima de si mesmo.

Como dizem os Espíritos, o papel de algoz não tem que ser feito por ninguém para punir as faltas dos outros. Cada ser é o seu próprio algoz, pois, na eterna justiça de Deus, cada um faz a colheita daquilo que plantou.

Folheando os jornais, encontrei uma notícia e, ao lê-la, indaguei:

— Qual será a causa que gerou esse efeito?

A ganância de cem séculos, disse uma voz interior.

A notícia era mais ou menos assim:

Relato

Um avarento

Na Rua La Paloma, número 22, foi encontrado um indigente tendo um ataque. Foi socorrido e, chegando ao hospital, veio a falecer.

Este homem vivia em extrema pobreza, dormindo em um leito esfarrapado, em um canto da habitação. Embaixo de sua cama, foram encontradas trinta mil pesetas em títulos bancários.

Psicografia

Isso mesmo! A ganância deu a esse infeliz o tormento. Sofreu nesta existência todas as torturas que a fome produz.

Ele possuía uma fortuna mediana, que supriria suas necessidades básicas, pois tinha condições para isso.

Não teve muita escolha, a não ser iniciar o pagamento de seus débitos do passado, em que esteve muito tempo exposto.

No plano espiritual, ele finalmente convenceu-se de

que as riquezas da Terra, com todo seu poder de grandeza e de luxo, nada representam na vida eterna do Espírito.

O homem que hoje morreu de fome foi, por cem séculos, o rei de ouro. Tinha um talento natural para empreender sempre negócios lucrativos.

As areias dos desertos se tornavam, em suas mãos, pó de ouro. As pedras sem valor, pedras preciosas e do Oriente, de valor incalculável. Era o filho preferido da fortuna.

Como dizem na Terra, de cada negócio que ele participava, a sorte lhe sorria. Mas a sua sede de riqueza não tinha limites; quanto mais ouro acumulava, mais ouro queria.

E o ouro, em suas mãos, tornou-se infértil areia, pois nunca serviu para confortar um desconsolado. Jamais visitou um órfão, nunca ouviu os lamentos de um ancião abandonado nem de uma viúva perturbada. Ele, sim, desfrutava de sua riqueza. Viveu com a magnificência dos soberanos do Oriente.

Satisfazia as suas menores vontades; as sobras de sua mesa, porém, não eram aproveitadas por ninguém, nem pelos seus cachorros. Não dava nenhum pedaço dos restos de pão para a servidão.

Coitado daquele servo que se atrevesse a ser compassivo; logo seria demitido por sua desobediência. E assim ele viveu uma centena de séculos, até que, finalmente, ouviu a voz de sua guia espiritual, que lhe disse:

— Infeliz! Você não está cansado de viver nas sombras? Não tem as mãos manchadas com o sangue dos seus semelhantes, mas deu o pior exemplo que pode dar um homem que não é assassino. Teve muita água nas fontes de suas propriedades e negou-a aos peregrinos sedentos. Apodreceram as frutas nos pomares, antes de você oferecê-las às criancinhas, que lhe pediam com olhares ansiosos.

Você não derramou uma gota de sangue de seus semelhantes, mas, para aumentar as suas fartas riquezas, prendeu os produtos alimentícios. Morreram centenas de crianças e idosos de inanição e de fome. Agindo dessa forma, o que lhe rendeu?

Ouro na Terra e sombra no mundo espiritual? Se você viu algum raio de luz, foi de um dos incêndios produzidos pelas multidões desesperadas e famintas.

Se você ouviu alguma voz, ela deve ter lhe dito: "Maldito seja, carrasco ganancioso! Maldito seja!".

Acorde miserável, acorde! Está na hora de ganhar virtudes, e não moedas.

O infeliz avarento ouviu a voz de sua guia e pediu para sofrer a angústia da pobreza. Assim, em sua última existência, não conseguiu resistir ao seu velho hábito em acumular riquezas, mas o seu tesouro não lhe ofereceu nenhum prazer.

Foi forte o bastante para resistir às tentações e alegrias terrenas; deu um grande passo, respeitando suas finalidades de retificação. Quando reencarnar, vai começar a ser generoso, dando água ao sedento e pão ao faminto.

E, quando você vir aqueles quadros de miséria, de sofrimento, e for possível contemplar um monte de ouro escondido em trapos sujos, não diga: *Que homem miserável! Quanto podem a ganância e estupidez?*

Não! Curve-se em respeito diante desse Espírito, que, com uma explosão de vontade, tem dito para si mesmo: *Eu quero ver a luz! Eu quero regenerar-me! Quero dar o primeiro passo no caminho do sacrifício! Não mais egoísmo, não mais exclusividade, não mais miséria espiritual!*

Respeite os pobres de espírito que estão dando o primeiro passo para se engrandecer, porque, dado o primeiro passo, o avanço se tornará um modelo de altruísmo e generosidade.

Adeus.

O Espírito Guia

Reflexão

Muito me satisfaz a comunicação que tenho obtido. É uma boa lição para não criticar nem fazer cálculos errados a respeito das ações dos outros, nem de sua forma de proceder com os demais.

Cada ser é um capítulo da história da vida, e cada um desenvolve seus sentimentos, suas aspirações e seus propósitos na medida dos conhecimentos adquiridos em suas encarnações.

Não devemos julgar a conduta de ninguém dizendo que este ou aquele dá a impressão de agir como um tolo ou um sábio. Como desconhecemos suas vidas passadas, não podemos fazer uma avaliação precisa de seu modo de ser.

Eu sou muito grata aos bons Espíritos pelos ensinamentos que tenho recebido, porque com eles vou aprender a não julgar mais pelas aparências. Realmente, as aparências são como as fantasias que alguns homens usam nas festas realizadas durante o Carnaval de nossa vida.

9

O homem salvo por um "fenômeno sobrenatural"

Amália Domingo Soler | traduzido por Luis Hu Rivas

Um espírita de Rosário de Santa Fé, na Argentina, escreveu-me enviando a seguinte notícia:

Relato

Um fenômeno sobrenatural

The Daily, um jornal britânico de boa circulação, não só na Inglaterra, mas em todo o mundo, conta o seguinte e interessante caso:

Em fevereiro de 1905, foi condenado um escravo de nome John Lee. Ele foi acusado de ter assassinado em Londres uma senhora cuja casa serviu durante muitos anos.

No dia em que deveria ter sido enforcado, aconteceu um fenômeno extraordinário: a alavanca do patíbulo, que deveria baixar e deixar o corpo no vácuo, não funcionou.

A alavanca trabalhava perfeitamente quando o condenado não estava em cima da estrutura de madeira, mas, quando John Lee era lá colocado, a alavanca não se movimentava.

Os juízes e os procuradores, que estavam presentes no dia da execução, ficaram perplexos diante do estranho fenômeno.

Depois de longos debates, desistiram de executar John Lee. O prisioneiro sempre alegava inocência. O procurador, por sua vez, ordenou uma segunda instrução: a análise do processo; e, no mês seguinte, o Tribunal colocou John em liberdade.

Esse evento extraordinário impressionou bastante os juízes e o público.

Comentário da médium

Na verdade, é um evento difícil de acreditar. Por isso, muitos amigos espíritas de Santa Fé pedem que eu pergunte sobre a causa desse feito extraordinário.

Eu, querendo agradar aos meus irmãos, perguntei ao guia espiritual de meus trabalhos mediúnicos e, então, obtive a seguinte comunicação:

Amália Domingo Soler | traduzido por Luis Hu Rivas

Psicografia

Não existe nenhum fenômeno sobrenatural. Os fatos, que vocês acham estranhos e incríveis, não são apenas o resultado de nossas ações no passado, mas também a consequência natural de nossas boas ou más atitudes.

Se assim não fossem, as leis eternas da natureza perderiam seu equilíbrio perfeito, e elas não mudam nunca. Tudo segue em uma marcha rítmica; tudo se desenvolve e evolui em seu devido tempo.

Os acontecimentos que marcam época na vida do homem não se adiantam um segundo, nem se atrasam um minuto. O tempo é o relógio dos séculos, e o seu relojoeiro é o próprio Deus. Ele é o grande mecânico que faz operar as Suas máquinas tão perfeitamente.

Volto a repetir: não se atrasam nem se adiantam os acontecimentos que decidem o futuro do homem.

Esse Espírito sofreu, recentemente, todas as angústias e todas as dores de sua próxima execução. A alavanca do patíbulo se recusou a funcionar, porque o seu movimento era paralisado pelos amigos espirituais do condenado.

Realmente, nesta existência, esse homem não cometeu nenhum crime. A justiça humana fez o seu dever de declará-lo inocente, mas nem sempre ele foi tão bom como agora. Tem uma página, na sua história, tão cheia de manchas, que ele mesmo se propôs, na existência presente, deixá-la limpa.

Ele conseguiu, porque, nas três vezes que o carrasco tentou cumprir o seu papel de enforcá-lo, sofreu nesses momentos mil mortes por segundo.

Suportou tudo isso graças ao seu espírito enérgico e por ter no Além muitos bons amigos espirituais. Especialmente um, a quem causou sofrimento semelhante ao que sofreu agora.

O Espírito John Lee, em uma de suas existências anteriores, pertenceu à nobreza. Ele herdou de seus pais muitas propriedades e riquezas, que se propôs aumentar, pensando que o ouro abre todas as portas, tanto na terra como no céu.

Entre os seus muitos servidores, havia um que o atendia como escudeiro, secretário e ajudante. Realmente, ele era seu cão fiel, que cegamente obedecia a todos os seus planos maus. Isso porque John Lee era muito adepto de fazer falsos pergaminhos e outros tipos de documentos, com os quais conseguia se apropriar dos bens que não eram seus. Assim, foi deixando na miséria muitos de seus parentes e vizinhos.

Seu fiel servo, Daniel, estava ciente de tudo quanto era feito por seu mestre, e John Lee chegou a ficar com medo. O pânico tomou conta de sua mente, e ele disse para si mesmo: *Este homem pode entregar-me se sua sede de ouro apoderar-se de sua alma. Ele é muito esperto, e sei muito bem que, se ele falasse, suas denúncias seriam bem pagas pelos meus muitos inimigos. Homem morto não fala, então, está na hora de começar a trabalhar.*

Por agora, vou acusá-lo de ser um assaltante desmedido, dizendo que ele me roubou uma quantia fabulosa.

Sempre que o acusador é rico, consegue logo a condenação do pobre. E, dito e feito, John Lee acusou Daniel de ter-lhe roubado o que pôde.

Daniel foi preso, e não somente compareceu ao tribunal como um ladrão, como também foi acusado de assassinato. Foi-lhe atribuída a morte de um funcionário público que pouco tempo atrás fora encontrado debaixo de uma ponte, com a cabeça separada do tronco e um punhal no peito.

John Lee despejou dinheiro a rodo, e o relatório ficou concluído em poucos dias.

Daniel sempre afirmou ser inocente e que não sabia do que eles estavam falando. Mas as suas declarações não foram ouvidas, porque tinha um homem poderoso que queria vê-lo morto.

Na véspera da execução, John Lee foi subitamente tomado por uma dor insuportável em seu coração. Olhou para si mesmo e resmungou com horror: *Eu sou um miserável! Daniel é inocente, eu bem sei. Não tenho dele a menor queixa... Ele desinteressadamente me ajudou, e, quando eu queria recompensá-lo por seus serviços, ele dizia: "Só de ficar ao seu lado, eu tenho a melhor recompensa". E, por causa desse medo infundado de que ele me entregaria, estou assassinando este infeliz!*

Oh, Deus! Estou sufocando! O remorso vai me matar. Será fogo, e não sangue, o que corre em minhas veias? Mas ainda há tempo.

E, dominado pelo remorso mais horrível, ele correu para o local da execução, chegando no momento em que Daniel dizia ao carrasco:

— Eu o perdoo pelo crime que você irá cometer, porque sou inocente.

John Lee gritou:

— Sim! Ele é inocente! O verdadeiro ladrão devolveu a quantia que tinha roubado de mim... E o assassino do funcionário morto e achado debaixo da ponte foi encontrado e confessou o crime, ao saber que um inocente estava prestes a morrer por sua causa.

O espanto dos juízes era indescritível. Daniel foi acometido por muitas emoções e ficou por bom tempo muito doente. Permaneceu sob os cuidados de seu mestre, que o levou para sua casa novamente e tratou dele com o maior carinho.

Daniel, enquanto estava na Terra, ignorava as ações de seu dono e morreu abençoando-o. Mas, no mundo espiritual, soube de tudo, e sentiu compaixão pelo mestre por ter caído em abismo tão profundo.

Ele o queria tão bem, que se tornou o seu anjo bom. Ao se encontrarem do outro lado da vida, aconselhou John Lee a apressar seu resgate, do mesmo modo que o tinha feito sofrer.

Mas John Lee precisou de um longo tempo para decidir-se a pagar uma dívida tão terrível. Finalmente, nesta existência, sofreu com coragem a maior de todas as dores.

Daniel e outros Espíritos impediram o funcionamento da alavanca. Não deveria morrer aquele que se arrependeu de seu crime.

A sinceridade de seu remorso recebeu a recompensa merecida, uma vez que dos arrependidos é o reino dos céus.

Adeus.

O Espírito Guia

Reflexão

O Espírito tem toda a razão. Não existem fenômenos sobrenaturais. Existe somente o cumprimento das leis eternas.

Ainda precisamos estudar muito as leis da Criação!

Bem disse um sábio grego: "Só sei que nada sei!"

10

A garota surda-muda com paraplegia e doença mental

Amália Domingo Soler | traduzido por Luis Hu Rivas

Quantas dores sofre este mundo!

Quão sombria é a Terra!

Quantos infelizes me contam os seus problemas!

Aqui estão os trechos de uma carta que recebi:

Relato

Há aproximadamente nove anos, está confinada em um sanatório desta capital a minha neta.

Conta, no momento, com treze anos de idade. O seu estado é dos mais tristes que a mente humana possa conceber, é um verdadeiro autômato.

Ela é incapaz de movimentar ambos os membros inferiores, além de ser surda-muda e não ter conhecimento ou raciocínio de qualquer tipo. Nesse estado, lá permanece, porque os meus recursos, no momento, não me permitem tê-la ao meu lado, como é o meu desejo mais fervoroso.

Eu sinto um carinho imenso e uma paixão por ela que, francamente, não consigo explicar. Por isso, sofro terrivelmente. O sofrimento é ainda maior pelo fato de ela ser completamente indiferente à minha presença durante as visitas. O meu Espírito sofre de uma maneira terrível.

Por todas essas razões, eu fortemente lhe imploro para que peça aos guias espirituais de seus trabalhos mediúnicos algumas informações sobre a história do passado dessa criatura infeliz. Qual será o tipo de relacionamento prévio que existe entre mim e ela? Por favor, não ignore o meu pedido; eu acredito no Espiritismo, na realidade de sucessivas encarnações, e eu preciso acalmar o meu Espírito com uma nova revelação.

Comentário da médium

A demanda de um ser que sofre sempre tem sido sagrada a mim. Tentei pedir ao meu Espírito Guia esclarecimentos sobre estes dois seres tão infelizes, e ele respondeu o seguinte:

Psicografia

São justas a ansiedade e a perplexidade do irmão que se aproximou de você para pedir ajuda. E, como só recebe quem pede, escute atentamente a minha revelação:

A menina paralítica, surda-muda e deficiente mental de hoje realmente não é o que aparenta. Para seu maior tormento, ela foi, na sua última encarnação, um personagem célebre por seus delitos.

Na encarnação anterior, foi homem e nasceu na Espanha. Ele era temido pelos habitantes, por sua habilidade, coragem e ousadia, desafiando os maiores perigos para roubar os transeuntes, assaltar as mansões e encontrar tesouros escondidos.

Era um vilão terrível, e os mais ousados tentavam capturá-lo, mas ele sempre escapava. Ele era um homem atraente; sua beleza era a de um anjo das trevas e, como era de linhagem nobre, tinha boas maneiras, sendo o mais ilustre ser que uma mulher pudesse desejar caso lhe conviesse. Portanto, não foi difícil para ele atrair uma moça, de boa família, que enlouquecera pela sua beleza e sedução.

Assim, ele arrebatou a jovem do seu lar e a levou para longe, a fim de evitar várias queixas e problemas com os pais dela. A moça seduzida mais tarde percebeu o mau caminho que havia tomado, mas gostava tanto dele, estava tão apaixonada, que se dispôs a transformar o bandido feroz em um bom homem.

Todos os seus esforços foram em vão: ela era muito cristã e acreditava na eficácia dos jejuns e das penitências. Colocou-se cilícios, uma espécie de túnica ou cordão de crina, que se traz sobre a pele para mortificação, e assim martirizou seu belo corpo, para redimir o homem que ela amava.

Mas ele se cansou de seus sermões e lamentações e, depois de praticar com a quadrilha mais um assalto e matar muitas vítimas, disse para um de seus companheiros:

— A mulher que me acompanha há muito tempo nos atrapalha. Cada dia vai se tornando mais escrupulosa e mais devota. Deem um jeito nela; façam com que ela suma, para o bem de todos, a fim de ganharmos tempo.

O bandido cumpriu as ordens de seu chefe e, em um lugar bem deserto, onde a terra fora sulcada por profundos desfiladeiros, em um deles atirou a jovem apaixonada. A mulher, que era boa e fiel, tornou-se redentora. E, como é natural acontecer com esse nível elevado de almas, crucificaram-na.

Tempos depois, em um confronto com outros bandidos, uma parte do bando morreu, incluindo o chefe. Quando chegou ao mundo espiritual, foi ele recebido por sua redentora, disposta a continuar sendo o seu anjo da guarda; na verdade, ela o amava demais!

Permaneceram bastante tempo no Além, e ela o foi preparando para começar o reajuste de suas contas. Foi tanto que insistiu na sua conversão, e tal luz recebeu dos outros bons Espíritos, que o bandido de ontem é a menina paralisada de hoje.

Tanto correu para cometer crimes horríveis, que hoje não pode se mover nem falar quem no passado ditava as sentenças de morte.

E o avô abalado que vem visitar a sua neta, e ela não o reconhece, é a vítima de ontem. O atual avô é a moça apaixonada que, em anterior encarnação, quis ser sua redentora. Esse Espírito de Luz o seguirá sempre, até conseguir fazer dele um ser superior.

O seu amor é imenso, e ele possui um nível do qual ninguém faz a menor ideia na Terra, onde os amores são flores de um dia, ilusões passageiras, ou como os incêndios, que, assim como se acendem, rapidamente se apagam.

O amor que a moça tinha por esse malfeitor chegou a tal ponto de sua autopunição, que ela vai acompanhá-lo sempre, vai ajudá-lo sempre que puder. Vai prendê-lo em seus braços em todas as suas encarnações. Estará ligada a ele, de uma forma ou de outra, mesmo durante o sonho, murmurando ao seu ouvido: "Tenha coragem de pagar suas contas; você errou muito, mas tem a eternidade para se regenerar.

Eu estarei com você, não o deixarei sozinho; serei sua mãe, sua irmã, sua esposa, sua filha. Eu me enlaçarei em você através de todos os parentescos existentes na Terra, e, no mundo espiritual, serei a sua estrela-guia, para orientá-lo sempre no caminho da luz e da verdade".

Muito mais poderia dizer do amor desse Espírito, que é uma dádiva de Deus para magnificar um culpado, uma vez que os mais doentes são os que mais têm necessidade de médicos do céu.

Adeus.

O Espírito Guia

Reflexão

Quão bela é a missão dos Espíritos que se amam!

Se não fosse por eles, o que seria dos homens na Terra? Pois a maioria de nós tem uma história triste para contar.

Bem-aventurados aqueles que amam e felizardos também aqueles que são amados!

11

A morte de uma esposa em sua lua de mel

Amália Domingo Soler | traduzido por Luis Hu Rivas

O famoso poeta e dramaturgo, Victor Hugo disse certa vez: "Os olhos só veem a Deus através das lágrimas", e é uma grande verdade.

Quando estamos em meio à "felicidade", o nosso pensamento não se eleva a Deus. A alma se contenta com o que tem à sua frente, seja um horizonte ilimitado ou um pedaço do céu ao alcance dos olhos.

As pessoas dizem que ninguém se lembra de Santa Bárbara até que os trovões apareçam.

É triste, mas é verdade. Temos uma ideia muito limitada do que nós — os homens — somos na Terra, e diante de tantos fatos devemos inclinar a cabeça e nos dar por vencidos.

Olhando os jornais, eu notei um artigo, que copio abaixo:

Relato

No jornal *O Mundo Latino,* observei uma notícia, que transcrevo:

Um correspondente italiano deu a notícia de uma triste tragédia, que aconteceu na cidade Castellammare di Stabia, uma comuna italiana, província de Nápoles, e dizia o seguinte:

Os noivos, Pascual e Carolina Sarrubbo, jovens distintos e abastados, casaram-se esta semana.

Ontem, após a cerimônia, os recém-casados recolheram-se ao leito matrimonial, no segundo andar de um sofisticado hotel. Ao entrarem no aposento, o chão ruiu, fazendo o casal cair no apartamento abaixo, entre os escombros.

Nesse andar dormia uma senhora com seus dois filhos. Estes ficaram gravemente feridos, e Carolina morreu nos braços de seu marido, que saiu ileso.

Comentário da médium

Que noite de núpcias tão dolorosa!

O que será que esses infelizes fizeram no passado?

Esta terrível história teve um episódio muito comovente, pelo que meu guia me disse:

Psicografia

Sim, eles tiveram um episódio muito comovente. Para tornar este ensino útil, preste bem atenção na narrativa que eu vou lhe contar em breve linhas.

Pascual e Carolina eram pai e filho na sua existência anterior. Pascual era o pai, e Carolina, o filho. Pertencentes à mais alta nobreza, eram os cavaleiros do rei, e por isso permaneciam mais tempo no palácio do que em sua própria casa.

Pascual foi um nobre muito orgulhoso do seu tempo. Ele depositou no seu único e amado filho, Carlos, todas as suas esperanças e expectativas.

Ele tinha a firme convicção de que ele se casaria com alguma donzela pertencente à classe do monarca reinante da nação.

Pascual era importante, com a sua estirpe de nobre, sua árvore genealógica, seus castelos, seus privilégios e toda a grandeza de sua ilustre linhagem.

Mas seu filho Carlos era um rapaz simples, humilde e despreocupado. Ele odiava as festas no palácio e gostava apenas de estar entre seus servos, particularmente com uma mocinha que crescera ao seu lado, a filha de um guarda-florestal. E, desde a infância, os dois subiam em árvores para apanhar ninhos e comer fruta verde.

Davam longas caminhadas pela floresta, estando sempre juntos, fosse às manhãs de primavera ou nas noites de inverno.

Pascual não notara nada nos dois adolescentes, pois sabia que seu filho precisava tomar bastante ar e sol, para o desenvolvimento de seu corpo frágil.

Quando Carlos fez vinte anos de idade, seu pai o chamou e disse-lhe muito feliz:

— Meu filho, Deus ouviu as minhas orações. Você fará parte da família real. Uma sobrinha do rei tem-se dignado a fixar seus olhos em você, e assim que o monarca consentir será realizado o casamento com a infanta Elena.

— Mas, pai — disse Carlos, muito contrariado —, o senhor conhece o meu jeito e o meu gosto... Eu prefiro a vida no campo. Quando estou nos palácios, sinto falta de ar. Além disso, a infanta Elena, eu nem a conheço... Quando me casar, eu quero amar a minha esposa, e Elena... Sei que nunca vou amá-la; ela é muito orgulhosa, muito imperativa, e eu não quero ser um brinquedo nas mãos de uma mulher, mesmo que tenha nascido nos degraus do trono.

Pascual ficou ao mesmo tempo espantado e maravilhado com a resposta do filho e, imediatamente, percebeu que Carlos já amava outra mulher, mas escondeu as suas suspeitas. Ele colocou espiões no encalço do filho, e estes, poucos dias depois, relataram a Pascual o que tinham descoberto. Carlos amava Anita, a filha do guarda-florestal, uma moça humilde e simples, que tinha sido criada com ele desde pequenina.

Pascual, quando soube que o filho amava uma plebeia, ficou furioso. Chamou Carlos e disse-lhe:

— Já sei de tudo! Se você persistir na sua paixão louca, vou trancar Anita em um convento e deixá-la lá encerrada, até que você recupere a razão. Enquanto isso, vou mandá-lo pra muito longe daqui. Agora, se você concordar com a minha proposta, vou dar a Anita um bom dote, e ela se casará com um homem de sua classe. Pense bem... A vida dela depende de você.

Eu prefiro vê-lo morto a casado com uma mulher indigna de sua estirpe.

Carlos, cujo estado de saúde era bastante delicado, sentiu-se mortalmente ferido diante do despautério de seu pai, mas, principalmente querendo livrar Anita do confinamento em um convento, ele desistiu e disse:

— Dote ricamente Anita; eu vou fazer a sua vontade!

O pai manteve sua promessa, dando um valioso dote a Anita.

Carlos, por sua vez, sentiu seu coração profundamente ferido. Enquanto o pai lhe preparava um palácio suntuoso, Carlos, muito fraco e como quem está disposto a morrer, entregou sua alma a Deus poucos dias antes de seu casamento.

Ele pediu que chamassem a sua idolatrada Anita nos seus últimos momentos.

Anita, a companheira de infância, após a morte de Carlos, entrou para um convento, onde morreu antes de seus votos.

Pascual providenciou para seu filho um funeral muito luxuoso. Morto ou casado com Anita, a filha humilde do povo, ele preferiu a morte de seu herdeiro à desonra de seus antepassados com um casamento tão desigual.

Em Pascual, o sentimento estava adormecido, e seu filho, encontrando-se no mundo espiritual com sua inesquecível Anita, concordou em retornar à Terra e escolher Pascual, seu pai de ontem, como o esposo de hoje.

Pascual não lamentou a perda do filho Carlos, mas agora, como Carolina, o filho conseguiria despertar seus sentimentos ao se tornar sua esposa.

Pascual não era má pessoa, apenas vaidoso e orgulhoso. Era necessário despertar nele um sentimento e, para essa finalidade, não existe nenhum alarme mais potente do que a dor que sentimos pela perda de nossos entes mais queridos.

Pascual, quando balançou em seus braços o corpo

- 143 -

da esposa, sentiu o que nunca tinha sentido em todas as suas existências anteriores. Seus sentimentos foram violentamente despertados, e ele chorou com a dor suprema. O homem que estava feliz com a morte do filho, em vez de vê-lo junto a uma plebeia, agora chorava com lágrimas de sangue a perda da mulher amada.

Ele ouviu o alarme a tempo, escutou a voz do infinito que o chamou a ter juízo e, dali em diante, não iria preferir mais títulos às virtudes.

Com este triste episódio, o sentimento de uma alma que dormia entre suas riquezas terrenas foi despertado.

As crianças que ficaram feridas no desabamento são os espiões que delataram o amor entre Carlos e Anita. Todos recebem o que merecem, uma vez que não há nenhuma dívida que não seja paga, nem prazo que não seja cumprido.

O despertar de uma alma é uma grande felicidade, pois de um ser sensível podem-se esperar todas as boas ações, enquanto do Espírito vaidoso de suas riquezas não se pode obter mais do que a névoa do egoísmo e de sua petulância.

Que soem os alarmes dos séculos, mesmo que chorem as almas ao acordar, porque o homem que não chora não vê Deus. Devemos chorar muito, para ver o arco-íris que formam as nossas lágrimas, e nesse arco-íris é o lugar onde está Deus.

"Bem-aventurados os aflitos, porque eles serão consolados."

Adeus.

O Espírito Guia

Reflexão

O Espírito tem razão. A dor é o grande alarme da humanidade.

Os seres que dormem são árvores secas; para que brotem frutos é preciso regá-las com as lágrimas da dor.

12

A avó obsessora

Amália Domingo Soler | traduzido por Luis Hu Rivas

Entre as muitas pessoas que me visitam, teve uma que chamou muito a minha atenção: Teodora Ortiz, uma mulher muito simpática, bem-educada e espírita cristã. Ela prometeu me escrever quando tivesse chegado a seu lar, e assim o fez:

Relato

Você deve lembrar-se do dia de nosso encontro, quando eu contei sobre uma sensação estranha, como se eu estivesse sendo perseguida. O Espírito que realizava essa perseguição era a avó do meu marido, que desencarnou há treze ou catorze anos. No terceiro ano após sua desencarnação, eu comecei a sentir os efeitos de seu ódio em relação a mim. Desde então, continuo sentindo-a com uma tenacidade inacreditável, atingindo-me tanto na parte moral quanto física, e até nos bens materiais.

Foi uma fase tão difícil, que, se não houvesse tido a sorte de conhecer o Espiritismo, de entrar em contato com os bons espíritas, certamente, com esses golpes terríveis que esse Espírito me causou, teria sucumbido sem conseguir passar por esta prova com sucesso.

Felizmente contamos com o apoio dos bons amigos invisíveis, que nos ofereceram a sua valiosa ajuda, da qual todos nós precisamos.

Esqueci-me de dizer-lhe que, quando as coisas vão muito mal, a minha filha Inês, que desencarnou quando estava prestes a cumprir dois anos, vem para dar-me auxílio.

Sabe-se que é um Espírito de muita luz, uma vez que a sua presença faz com que o Espírito rebelde, que me assombra, retire-se, me dando força para perdoar e até querer o bem do meu perseguidor.

Feita a história, em breves linhas, do que vem acontecendo comigo, atrevo-me a pedir-lhe um favor, que me tornará eternamente grata. Quando você tiver a oportunidade, consulte o guia de seus trabalhos mediúnicos, para ver se eles dizem o que há entre mim e esse Espírito. O que pode existir entre mim e a avó? Qual é a causa, no passado, que gera o efeito de um presente tão triste e tão angustiante?

Eu acho que é inútil dizer que meu pedido não é por curiosidade infantil, nada disso. Se peço, é pelo desejo que tenho em progredir e ficar em paz com esse pobre Espírito. Caso consiga, ficarei muito feliz. Chega de sofrimento.

Amália Domingo Soler | traduzido por Luis Hu Rivas

Comentário da médium

A carta de Teodora me deixou bastante impressionada; sua história era realmente comovente. Ela não percebeu ainda ser uma médium vidente e, frequentemente, vê o Espírito da avó com as mãos tocando seu pescoço e tentando estrangulá-la.

Quantos mistérios! Quanta sombra esconde a noite do passado!

Diante do padecimento de uma família, eu não hesitei em perguntar aos meus amigos invisíveis por que Teodora tinha que sofrer tanto, e os Espíritos responderam o seguinte:

Psicografia

Para responder à sua pergunta corretamente, teríamos que elucidar uma série de comunicações sobre a trajetória de Teodora e da atual avó. Por hoje, vamos nos limitar em dizer-lhe:

Quando o Tribunal do Santo Ofício ditava as suas leis mais severas, um dos seus mais poderosos juízes era membro da nobreza espanhola e residente na corte.

Naquela época, Teodora era uma mulher muito bonita; estava prestes a unir-se em matrimônio a um homem bastante digno. Antes de receber a bênção nupcial, foi confessar seus inocentes pecados com o temível inquisidor. Este, quando a viu, perdeu completamente a razão e jurou fazê-la sua.

Quando Teodora se retirou, o noivo foi ao confessionário, ajoelhou-se diante do confessor, e este usou de sua astúcia para cobrir de infâmia a honra imaculada de Teodora. Mas a sua perversa tentativa não conseguiu obter sucesso, porque o futuro esposo estava convicto de que a sua amada era um anjo disfarçado de mulher.

Os dois apaixonados intercambiaram seus pareceres sobre o confessor e trataram logo de apressar o casamento. Antes que conseguissem fazê-lo, porém, Teodora foi acusada de heresia e violentamente arrebatada da casa de seus pais.

Mas seu noivo era um homem muito influente, e colocou em jogo todo o seu poder. Ele usou grandes somas de dinheiro na compra de inescrupulosos carcereiros.

Teodora conseguiu escapar da prisão e ambos fugiram para o exterior, onde finalmente se casaram. Esta notícia levou o inquisidor à loucura. Ele ficou com muita raiva por não ter conseguido superar a resistência de Teodora.

Teodora era feliz com seu marido, mas não podia voltar para a Espanha, até que soube da morte do cruel inquisidor. Este, não percebendo sua morte, e mesmo no mundo espiritual acreditando que continuasse vivo, ainda odiava e ao mesmo tempo desejava possuir Teodora.

Ambos retornaram à Terra e moraram sob o mesmo teto: o inquisidor, que hoje é a avó, e Teodora. Quando Teodora se casou, a avó ainda sentia por ela uma aversão incompreensível.

A avó deixou a Terra na maior perturbação, demorando a perceber que havia desencarnado, e, ao reconhecer-se em seu estado espiritual, redobrou o seu ódio. Totalmente apegada à matéria, fez todo o mal que conseguiu.

O marido de Teodora na existência anterior era, nesta encarnação, a sua filha Inês. E esse Espírito de grande potência muito tem ajudado sua mãe, dando-lhe forças para resistir à perseguição horrível desse Espírito totalmente materialista e dominado pelas paixões mais violentas.

Teodora e o Espírito da filha Inês devem trabalhar incansavelmente, para fazer entender ao inquisidor de ontem o seu verdadeiro estado, aconselhando-o, exortando-o e perdoando-lhe todas as ofensas.

É um louco obsessor, a quem elas devem curar e do qual devem se compadecer. Em outra comunicação, eu vou dizer-lhe algo mais sobre a história de Teodora, Espírito forte, digno e corajoso. Se ela pecou na noite do tempo, chegou depois ao heroísmo e ao sacrifício para defender a sua honra.

Ela soube sofrer; agora o que precisa é saber perdoar, para depois amar a seus inimigos.

Todas as coisas boas irá conseguir, porque tem boa vontade e o desejo de se engrandecer.

Adeus.

O Espírito Guia

Reflexão

Quanta sombra oculta o passado!

Bem-aventurados os espíritas, que podem rasgar o véu da reencarnação, sendo-lhes assim permitido contemplar o brilho do sol do amanhã.

Abençoadas mil vezes sejam as comunicações do além-túmulo! A humanidade já não caminha às cegas! Enxerga, vislumbrando ao leste o sol da verdade!

13

A menina assassina

Amália Domingo Soler | traduzido por Luis Hu Rivas

Relato

Carmen Ayala y Ayala –

Era órfã abandonada, e cuidava de sua irmã mais nova e com mobilidade física reduzida.

Teresa Ayala y Ayala –

Assassinada por Carmen, que acreditava que este ato diminuiria o sofrimento da pobre infeliz.

(Causa do Juizado de Maricao, Porto Rico, 1901)

Justificativa –

Carmen e a sua irmã mais nova, Teresa, eram órfãs de pai e mãe. Moravam em um barraco solitário, nos desertos de Maricao, no interior de Porto Rico.

Carmen procura refúgio na casa de um tio, Pablo. Ele era um homem sem consciência, mal-humorado,

- 156 -

e maltratava essas pobres crianças. Cansada dos maus-tratos, Carmen foi forçada a apelar para a ajuda de outros vizinhos.

Foi acolhida na casa da sra. Denizar, mas, pela falta de recursos, teve de sair novamente e ir para outra casa. Chegou à casa de Alejo Garcia, cuja esposa, muito amorosa, deu-lhes o acolhimento maternal.

Fatos –

Declaração de Carmen Ayala y Ayala.

A moça diz que, depois da morte de seus pais, foi acolhida por seus vizinhos caridosos, o sr. Alejo Garcia e sua esposa. Na casa deles, ajudava nas pequenas tarefas e, na maior parte do tempo, cuidava da irmã pequena.

Ontem pela manhã, o casal Garcia saiu, deixando-a sozinha em casa com sua irmã. A nobre senhora sugeriu que coletasse alguns grãos de café, que tinham caído no chão, a fim de se distraírem, e que cuidasse da pequenina até o regresso deles, ao anoitecer.

Assim que eles se foram, a depoente foi para as plantações de café, e ali surgiu a terrível ideia de assassinar Teresa. Esta ideia, há três dias, vinha-lhe, insistentemente, à mente, e ela tentava resistir. Mas a sugestão tinha tanta força, que ela correu em disparada para dentro da casa onde morava.

Nesse momento, a depoente começou a chorar muito e contou que, ao chegar de volta na plantação de café, a ideia de matar sua irmãzinha voltou a lhe perturbar até ela empurrá-la para dentro do açude que havia perto da casa. Feito isso, correu para cavar um buraco na terra, a fim de enterrar a irmã, após o afogamento.

Tirou o pequeno corpo do açude e, com a ajuda de uma pá e de um facão, que o sr. Ayala usava para fazer fossa, enterrou a pobrezinha.

Após o ocorrido, Carmen, que não estava em seu juízo perfeito, fugiu até chegar à casa da sra. Segunda, esposa de Justino.

A depoente disse que confessou para a sra. Segunda o crime que havia cometido, por volta das treze horas, e esta aconselhou-a a ficar por lá até que os Garcia fossem buscá-la.

A jovem demonstrou que não tinha nenhum ódio nem detestava a sua irmã. Pelo contrário, sentia por ela terno amor.

Finalmente a moça declarou que sentia muito carinho pela vítima, cuidava dela dia e noite, e, sempre que precisava ser deslocada para algum lugar, era no ombro que ela a levava, já que era incapacitada fisicamente.

O Tribunal desta cidade, disse o nosso repórter, ao conhecer o caso, fez um trabalho muito digno. Ele tentou, por todos os meios hábeis, colocar Carmen em um orfanato beneficente, pois, para esses casos, não havia locais mais adequados na ilha.

Como não conseguiram, encaminharam a mocinha a um núcleo assistencial da cidade, onde Carmen morreu no mês de fevereiro passado.

Nosso repórter deseja submeter o caso aos pensadores, particularmente aos espíritas, para dar uma explicação ao público, sedento de luz.

Comentário da médium

Uma escritora espírita de Ponce, Porto Rico, enviou-me esta notícia, que antecede as linhas acima. Ela, suplicando fortemente, perguntou-me se era possível saber se a órfã Carmen Ayala y Ayala fora vítima de sugestão espiritual, ou se ela era a única autora de um crime tão horrendo.

Eu, seguindo o meu desejo de servir de alguma forma à humanidade, perguntei ao meu Espírito Guia a causa de tais efeitos desastrosos, e eis aqui a sua resposta:

Psicografia

Eu lhe disse várias vezes que: quando uma pessoa não quer ser dominada, rejeita qualquer influência. Se ela não tivesse o livre-arbítrio, nasceria já com o estigma e a marca da escravidão, ou com a passividade humilhante do pária.

Os humanos não têm em si nem a cega mansidão nem a obediência estúpida.

Todos são livres para exercer os desejos da sua vontade. O que acontece é que muita gente está contente e satisfeita em seguir as instruções dos outros, porque é preguiçosa para pensar.

Se alguém pensa por elas e lhes diz: "O teu caminho já está traçado!", elas seguem a rota, sem olhar para onde vão, embora essas infelizes obedeçam a uma sugestão, e, se a obedecem, é porque querem.

Essas pessoas não se dão o trabalho de pensar, porque elas mesmas forjam as suas grades e levantam as paredes de sua prisão. E, se isto acontece, não é porque exista um poder superior para escravizá-las; se tivéssemos um, Deus seria injusto. E em Deus não há injustiça, porque Ele simboliza a igualdade.

A menina que matou a sua irmã cometeu o crime por sua vontade e pelo desejo de outro ser invisível. Teresa e Carmen foram rivais em outras encarnações; odiavam-se com verdadeira intensidade.

A menina incapacitada fisicamente, em vidas passadas, foi dotada de um corpo forte e robusto. Ela usou as suas forças hercúleas para ferir sem piedade, matando mais de uma vez o seu terrível inimigo, que nesta encarnação foi o seu assassino invisível.

Malvada por natureza e traidora por costume, criou muitos inimigos pela sua maneira de agir, gente que agora a persegue sem piedade, chegando a ponto de guiar o braço de Carmen para matar sua irmãzinha.

Mas Carmen ficou satisfeita com o seu trabalho, porque odiava a irmã, mesmo sem saber o porquê.

Quando Carmen reencarnou, soube que o seu adversário também reencarnaria e sofreria o tormento de não ser capaz de se locomover. Ela disse a si mesma: vou começar a minha regeneração, cuidando materialmente do meu inimigo. A oportunidade não poderia ser mais propícia; fazer dessa sua experiência de vida poderia dar excelentes resultados.

Uma coisa, porém, é a teoria, e outra é a prática. Como o ódio é a planta que está mais enraizada no coração humano, e Carmen tinha sido a vítima de sua irmã várias vezes, a prova de amar o seu temível inimigo oferecia muitas dificuldades.

De fato, essas dificuldades foram aumentando, devido às sugestões pérfidas do ser invisível, que odiava as duas. O seu ódio originou-se quando ele recebeu várias ofensas muito graves de ambas. Ele aproveitou a vulnerabilidade de Carmen para vingar-se delas, matando uma e tornando assassina a outra.

Vendo por esse ângulo, Carmen não fora a única autora do crime, mas, se o seu Espírito estivesse mais inclinado ao bem, rejeitaria a influência do ser invisível e suas más intenções.

Sua nova queda causou-lhe um enorme prejuízo moral. Seu retorno ao Mundo Maior mostrou que seus propósitos de regeneração tinham sido esmagados e pulverizados por seu novo crime. Agora, na Espiritualidade, está determinada a tomar uma direção diferente.

Ela está convicta de que o crime atrai o crime, e a satisfação que vem da vingança é semelhante a um veneno doce, que, sem que percebamos, queima nossas entranhas.

Destruir qualquer corpo é colocar em nosso caminho um enorme bloco de granito obstruindo nossa passagem, e ninguém consegue avançar sem destruí-lo. Pobres desses Espíritos que, ao voltarem para o mundo espiritual, encontram "granitos" em seus caminhos!

As masmorras das prisões são jardins maravilhosos em comparação à sombra que rodeia os assassinos.

O contrário acontece quando uma ofensa é perdoada, ou quando um ser torna-se o anjo da guarda do indivíduo que mais prejudicou. Quanto prazer e felicidade são experimentados, ao se verem apagados todos os vestígios de sangue e sofrimento que, outro dia, deixamos em nosso caminho!

Criem amores! Despertem seus sentimentos! Suavizem suas arestas! Encurtem essas distâncias enormes! Façam o bem pelo próprio bem!

Quão produtivo será para o Espírito este trabalho! No entanto, por maior que seja a sua expiação, por mais longa que seja a sua conta, em meio aos sofrimentos, será recompensado.

Se tiver que sentir os horrores da fome, encontrará o pão; no meio do deserto mais quente, encontrará uma sombra. Se tiver sede, brotará um fio de água da rocha mais dura. Nas horas de maior desconsolo, ouvirá uma voz harmoniosa que lhe dirá ternamente: "Ama e espera!"

Adeus.

O Espírito Guia

Reflexão

Obrigada, meu bom guia espiritual!... É por você que eu amo e é por você que eu espero!

Deus o abençoe! Devo a você muitas consolações! Quanta luz espalhou-se em torno de mim! Eu era menor do que um átomo, não tinha o meu lugar na Terra, e hoje eu tenho uma grande família. Eu não tinha um tostão; agora sei que tenho uma herança no mundo espiritual.

Abençoado, abençoado seja!

14

O neném abandonado na porta de casa

Amália Domingo Soler | traduzido por Luis Hu Rivas

Os Espíritos me dizem que eu ainda devo permanecer na Terra, apesar da minha idade avançada, das minhas contínuas doenças e da minha luta constante para sobreviver e alimentar o meu corpo doente.

Isso acontece porque eu tenho que escrever muito ainda, para consolar e ajudar a todos aqueles que precisam de mim. Também devo auxiliar essas pessoas, que realmente têm sede da verdade, quando me pedem conselhos e luz espiritual.

Alguns dias atrás, uma senhora espírita disse o seguinte:

Relato

Querida amiga, por um ato cruel, infelizmente muito comum em nossa sociedade, foi colocado em minhas mãos um menino recém-nascido, ao qual estou criando.

Ele foi deixado na porta da minha casa, num dia frio

do inverno passado. Fiquei muito emocionada por tão importante achado e, por esse motivo, no início eu não quis saber do vínculo que nos relacionava espiritualmente. Agora, mais calma e refletindo sobre o caso, venho a perguntar-lhe, se você tiver a bondade de pesquisar, por que eu o amo tanto!

Quando eu me acreditei sozinha e estéril, aparece este ser com seu sorriso a iluminar a minha vida. Ele surgiu para fechar com beijos as profundas feridas do meu coração. Feridas causadas pelos duros golpes da vida.

Ele veio na hora certa. Essa criança chegou até mim para receber o meu carinho e meu amor, e gostaria que o Espírito que guia seus trabalhos me orientasse. O que me anima não é saciar a curiosidade infantil, e sim ratificar a boa intenção de redobrar o meu amor a este pequenino ser.

Eu estou disposta a sacrificar-me por ele para conseguir criá-lo e instruí-lo nos princípios consoladores, que nos alimentam e nos mantêm firmes na dura batalha da vida.

Esta criança é um Espírito em provação? Se assim for, bem-vindo seja, mesmo que for para o seu Espírito purificar o meu.

Veio para transmitir algum recado da "lei suprema"? Bendito seja Deus ao conceder-me esta graça. Se nós estamos unidos por existências anteriores, e a Providência o trouxe até o meu colo, eu vou ser a mãe mais solícita.

O meu coração também sente a necessidade urgente

de exteriorizar meus puros e maternais sentimentos, que são naturais em todas as mulheres, com exceção de algumas infelizes, as quais nos despertam a compaixão.

A mãe dessa criança, que se separou dela, privando-a de seu calor maternal, inspira-me uma profunda compaixão, embora respeite os motivos pelos quais tenha sido forçada a desprender-se de seu filho.

Estou ansiosa em saber a resposta. Não é a curiosidade que me guia, é porque sinto que este menino é mesmo meu; sim, ele é meu filho! Eu o amo do fundo do meu coração!

Comentário da médium

Naturalmente, eu estava muito interessada no conteúdo dessa mensagem. E, quando tive a oportunidade, pedi ao Espírito Guia uma luz sobre esse assunto, obtendo a seguinte comunicação:

Psicografia

Eu vejo que continuamente as pessoas lhe encaminham perguntas sobre tópicos interessantes. E você, com a melhor boa vontade, vem nos perguntar, estabelecendo assim a comunicação direta entre os vivos e os mortos.

Essas comunicações entre os dois mundos existem desde toda a eternidade, mas agora ficaram mais conhecidas, graças ao progresso realizado em todas as classes.

Assim, o contato com o Além perdeu a sua superioridade antiga, época em que era destinado apenas aos iniciados nos mistérios divinos, descendo do seu alto pedestal, onde os sacerdotes, em seus templos, guardavam essas revelações com os Espíritos.

Os seres espirituais sempre se comunicam com os terrenos. Faz-se muito necessária essa relação direta entre os chamados "vivos" e os chamados "mortos".

Não é a comunicação mediúnica atual a que permanecerá ao longo dos séculos. Essa forma de contato ainda é muito precária. Em muitos casos, ela precisa de várias transmissões. Isto acontece porque, às vezes, o Espírito comunicante transmite a outro Espírito, e este, ao repetir ao médium, não dá conta do que lhe é ditado, pois é um intermediário na transmissão. Mas, mesmo assim, já é alguma coisa.

Tudo o que é grande começa pela ligação dos átomos, assim como acontece com os mundos. Da mesma forma, as comunicações entre os habitantes da Terra com o mundo espiritual teve o seu início através das manifestações de menor importância.

Surgiu como aparentes pancadas, movimentos de mesas e objetos, barulhos estranhos, e luzes que chamavam a atenção, principalmente, dos homens que eram indiferentes.

Esses tais fenômenos fizeram refletir também os homens sensatos, que pararam as suas atividades para observar e dizer: *O nada não produz nada.*

Esses sons e golpes, essas fontes de luz, que brotavam em vários pontos, eram efeitos de alguma causa, ou seja, de uma causa inteligente. Eles perguntavam e questionavam para conseguir o que você já tem: as conversas constantes com os Espíritos.

Algumas mensagens do Além são muito interessantes e instrutivas. Mesmo os meios de comunicação que hoje vocês disponibilizam são muito imperfeitos e pobres. Todavia chegará o tempo em que os homens não precisarão mais dos médiuns a servir de ponte entre nós e vocês. Todo mundo irá falar com seus parentes desencarnados e com seus entes queridos diretamente.

Como? De que jeito? Falando? Escrevendo? Aparecendo com o último corpo que utilizou na Terra? Os detalhes não são importantes, contanto que seja realizado; é o mínimo com o que devemos nos preocupar.

Mas, até esse momento feliz chegar, da sonhada comunicação direta, temos que nos conformar com a transmissão atual. Um escritor famoso diz que uma obra traduzida lembra um papiro antigo virado de cabeça para baixo.

Isso pode aplicar-se à maioria das comunicações mediúnicas. Contudo, é preciso trabalho e tempo para que seu verdadeiro valor seja apreciado.

Continuam perguntando aos Espíritos o porquê de muitos acontecimentos surpreendentes. Eles despertam o mais profundo interesse, e as respostas proporcionam conforto para muitos que choram na escuridão.

Essa mulher que sonhava em ser mãe perguntou-nos se a criança, que foi deixada na porta de sua casa, fez parte do seu passado. Podemos dizer que sim. Esse menino foi, em outra encarnação, carne de sua carne e sangue do seu sangue.

Na última existência, em que ela pertencia à nobreza, foi enganada e seduzida por um magnata. Ele não lhe poderia dar o seu nome, porque já havia se comprometido com outra mulher.

Ela, ao descobrir que ia ser mãe, confidenciou o segredo de sua desonra a seu irmão mais velho. Este, com pena de seu infortúnio, levou-a para longe do seu país.

A jovem grávida foi conduzida a um lugarejo situado entre as montanhas e ali deu à luz. Seu bebê foi levado a uma instituição de caridade e deixado lá, junto com as

- 171 -

muitas crianças sem nome. A jovem mãe implorou que lhe devolvessem seu filho.

Ela voltou para o seu palácio com o coração despedaçado. Não podia ver uma criança pequena e não se lembrar de seu filho. Todo o tempo em que ela esteve na Terra, chorou por esse filho, e morreu chamando por ele, vítima de um horrível ataque de convulsões.

Quando voltou ao mundo espiritual, percebeu que continuava viva. Devido a sua constante lembrança, acabou encontrando o seu filho perdido. Prometeu ser o seu guia e, em recompensa, o teria mais tarde em seus braços, esquecendo-se de tudo o que sofrera.

Esta criança, em cumprimento de sua expiação, sofreu em várias encarnações o abandono das várias mães que teve. Na verdade, ele precisava ser amado por um ato de caridade e compaixão. Não fora digno de um descanso tranquilo nos braços de uma mãe amorosa, devido às suas ações no passado.

Por isso, na sua existência atual, foi abandonado, e a pessoa que o encontrou era credora da maternidade. Na encarnação anterior não conseguiu ser mãe, apenas durante o tempo da gestação, e hoje, a Espiritualidade lhe entrega o filho de ontem, para que a sua alma possa desfrutar das delícias inefáveis da maternidade.

Merece ser mãe, por isso recuperou o seu filho. No seu inconsciente, ela sempre o chamava em seus sonhos, assim como em suas horas de vigília. Durante muitos anos, ela visitou órfãos e dedicou-se a inúmeros indefesos.

Agora, estava na hora de colher aquilo que plantara. Que ame muito o pequeno bebê que lhe foi confiado, para que ela possa orientá-lo, educá-lo e instruí-lo.

Que curta o seu bom momento, pois proteger crianças é a ação mais meritória e a que mais pode engrandecer o Espírito.

Adeus.

O Espírito Guia

Reflexão

Nossa! Que história tão comovente e interessante! Ficará contente a mulher generosa que recolheu em seus braços o pequeno náufrago do mar da vida, à mercê das ondas — da caridade superficial, que apenas mantém as crianças, para não deixá-las morrer de fome.

Se não fosse o amor dessa mulher, o menino teria morrido diante das rochas.

Bem-aventuradas sejam as almas que sabem amar!

15

O garoto assassinado pelos pais

Amália Domingo Soler | traduzido por Luis Hu Rivas

Relato

Notícia da França:

Paris viu ontem um daqueles espetáculos que nunca serão apagados da memória de um povo. O pequeno Pedro, uma criança de três anos, martirizado pelos próprios pais, foi levado ao necrotério do cemitério, seguido por um cortejo de quatro milhões de pessoas.

Não temos registro de nenhum outro caso nessa proporção. Seu pequeno caixão desaparecia diante da multidão de flores e oferendas de pais e mães trabalhadores, em nome de seus filhos.

Quando o corpo foi colocado na sepultura, todas aquelas pessoas foram depositando um punhado de terra sobre o caixão desta vítima da barbárie de pais desnaturados.

A população de Paris desejou, com aquela grande

manifestação, provar ao mundo que a desumanidade é uma rara exceção entre os seus membros.

Comentário da médium

Fiquei profundamente impressionada com a história horrível do martírio de uma criança e seu sepultamento.

A primeira revela uma maldade terrível, e a segunda mostra o avanço da humanidade. Sem dúvida, com sensibilização, as pessoas são enternecidas interiormente, perdendo lentamente a sua ferocidade.

Psicografia

Não julgue de forma tão leve. A humanidade age segundo as circunstâncias. Você pode ter certeza de que, há muitos séculos, a humanidade soube auxiliar o indefeso e também perseguir o agressor.

Esse Espírito — a quem os franceses guardam uma homenagem em sua lembrança — foi perseguido por essas mesmas pessoas, por essa massa justiceira.

O nobre, no início do século XVIII, foi caçado por essa massa pelas ruas de Paris com um único propósito: o de ser linchado.

Amália Domingo Soler | traduzido por Luis Hu Rivas

Você sabe por quê? Porque o Espírito do jovem Pedro fora um nobre na realeza francesa. Tudo possuía, em títulos e posses, mas faltava-lhe em sentimento, em humanidade.

De caráter bastante violento, irascível, sobre toda ponderação, impunha medo a todos os seus servos, em particular às crianças.

Uma delas era o belo Isaías, um garoto que toda a Paris conhecia, por sua figura galante e pela maneira como montava o cavalo. As mulheres da aldeia, quando o viam, invejavam a mãe desse rapaz tão admirável.

Certa manhã, o jovem e seu senhor saíram para dar um passeio.

O cavalo que Isaías montava tropeçou e caiu. Esta queda fez com que o animal sofresse lesões muito graves, e o nobre senhor obrigou Isaías a deitar-se no chão, açoitando-o até a morte. O povo ficou revoltado. As mulheres rugiam como feras. Perseguiram o nobre, e, quando estavam a ponto de prendê-lo, ele refugiou-se no palácio real. Até lá, a massa foi pedindo sua morte, pelas mãos de um carrasco, já que não tinham conseguido linchá-lo como pretendiam.

E a multidão ficou tão indignada, que, para evitar males maiores, as autoridades o condenaram à morte. Ele subiu ao andaime ouvindo os impropérios de um povo que se dizia generoso.

- 178 -

O nobre de ontem é o pequeno Pedro, que reconheceu sua inferioridade, graças ao Espírito de Isaías, que é, por assim dizer, o seu anjo da guarda.

Pedro escolheu alguns de seus muitos inimigos para ter como família na Terra, e encarnou pronto para iniciar um processo de reconciliação. Mas o seu atual pai, que na outra encarnação também fora vítima de sua crueldade e, por conta dele, morrera na forca, nesta vida não conseguiu ver no seu filho mais do que um ser que odiava com todo o seu coração. Assim, sempre sentia prazer em atormentá-lo com uma ferocidade sem precedentes, acarretando uma reprovação para todo o Espírito.

Isto porque uma criança sempre inspira piedade por sua impotência, e este era o único meio de reconciliação que podia ser usado na Terra.

Você precisa ser um monstro de iniquidade para não se sentir tocado por uma criança. Por mais feia ou repugnante que seja, é impotente, não pode se defender, precisando da ajuda de todos.

Se um bicho irracional inspira compaixão quando não há comida, o que deveria acontecer com um menininho que não pode se defender?

Por isso, o pai de Pedro é um verdadeiro criminoso. Ele colocou novos elos em sua longa corrente. Agora terá que pedir misericórdia ao Espírito que tanto odiou.

Mesmo que o Espírito de Pedro esteja disposto a

progredir, o perdão não tirará um átomo da enorme e cruel vingança de seu antigo inimigo.

Pedro não veio desta vez para sofrer tal martírio. Estava disposto a trabalhar em seu progresso. Era uma tentativa de reconciliação que pretendia fazer. Seria seu juiz e júri ao mesmo tempo — assim como são todos os Espíritos —, punindo-se de suas culpas; não precisava que ninguém as viesse lhe impor. Não cabe a nenhum Espírito se tornar algoz de outro, mesmo que este precise acertar muitas contas. Cada um é o seu próprio algoz.

Quando alguém morre de forma violenta ou em extrema pobreza, ou até mesmo sofrendo dores sangrentas, é porque o horrendo vingador está sendo utilizado por um Espírito inferior e influenciado por seus maus instintos. Nenhum Espírito encarna sobre a Terra com ordens superiores para torturar o culpado de ontem. A lei é cumprida sem necessidade de qualquer agente executivo. É só olhar ao redor para se convencer desse fato.

Você não tem visto ou lido muitas vezes que homens poderosos, afortunados, com a vida feita e uma família amorosa terminam seus dias de forma tão terrível?

Você não se lembra daquela história: um rico idoso que deixou uma imensa fortuna e ficou nu em frente à lareira, untou-se com óleo e se pôs fogo? O que vem provar esse seu jeito de morrer? Que, irremediavelmente, deveria ter seu corpo carbonizado e sofrer as dores que gerou a outros na fogueira.

Quando a imprensa relata crimes horríveis, compadeça-se desses algozes, pois eles estarão condenados a trabalhos forçados por muitos séculos.

O prazer da vingança é realmente um prazer infernal. Coitado de quem gosta de assistir a um ser impotente sofrer! Pobre daqueles que estão surdos aos gritos de uma criança!

Adeus.

O Espírito Guia

Reflexão

Estou muito feliz com a comunicação que recebi. Eu sempre acreditei que o papel de algoz não era necessário para a humanidade. É suficiente para o homem a sua própria história, para subir ao céu ou descer aos abismos.

Luis Hu Rivas

ESPIRITISMO FÁCIL
Abc do Espiritismo | 21x28 cm | 44 páginas | ISBN 978-85-8353-002-2

Entenda o Espiritismo com poucos minutos de leitura. Podemos lembrar de vidas passadas? Existe a vida em outros planetas? Nos sonhos podemos ver o futuro? Como é a vida depois da morte? Onde está escrita a lei de Deus? Quais são as preces poderosas? Como afastar os maus Espíritos? Quem foi Chico Xavier? E Allan Kardec?

REENCARNAÇÃO FÁCIL
Abc do Espiritismo | 21x28 cm | 44 páginas | ISBN 978-85-8353-011-4

Existe a reencarnação? Quem eu fui em outra vida? Porque não nos lembramos do passado? Quantas vezes reencarnamos? Posso reencarnar como animal? A reencarnação está comprovada? Jesus falou que reencarnamos? O que é o "karma"? Como saber se estamos pagando coisas de outras vidas? Posso ter sido mulher ou homem em outra vida? Como explicar crianças com deficiências e crianças gênios? Podemos reencarnar em outros planetas? Até quando reencarnamos?

EVANGELHO FÁCIL
Abc do Espiritismo | 21x28 cm | 44 páginas | ISBN 978-85-8353-006-0

O que é o Evangelho? O que ensina? Como o Evangelho pode melhorar a minha vida? Quem são os Espíritos Puros? O que é o "reino dos céus"? Qual é a relação entre o Cristo e o Espiritismo? Podemos ser anjos? Qual a importância do Amor, Humildade e Caridade? Quem é a "Besta do Apocalipse"? Quem foi Jesus? E Krishna, Buda, Sócrates, Confúcio?

Catanduva-SP 17 **3531.4444** | boanova@boanova.net | www.boanova.net

Mais informações sobre o autor:

Luis Hu Rivas

CRIANÇAS MÉDIUNS
Infanto-juvenil
20,5x24 cm | 32 páginas

Noite após noite, o Espírito Charles produzia pancadas tentando se comunicar. Até que um dia, umas meninas espertas, as irmãs Fox, conseguiram conversar com Charles. Assim surge a notícia, em todo o mundo, das famosas meninas médiuns. O que ninguém poderia imaginar é que esses "fenômenos" dariam origem ao início do estudo de Allan Kardec, na elaboração de uma nova ciência: o Espiritismo.

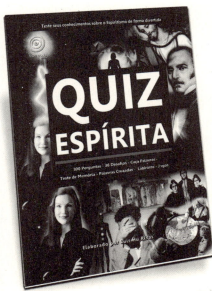

QUIZ ESPÍRITA
Perguntas e respostas
21x28 cm | 44 páginas

O primeiro Quiz destinado ao Espiritismo, com mais de 300 perguntas sobre: Livros, Filmes, Personagens, Espíritos, Conceitos, História, Lugares e muito mais...O Quiz Espírita pode ser usado de forma individual, em grupos de estudo ou para desafiar seus amigos! Com 36 desafios, totalmente ilustrado e colorido, o Quiz Espírita é uma excelente ferramenta para aprender o Espiritismo, de forma divertida.

Catanduva-SP 17 3531.4444 | www.boanova.net

A BUSCA DO MELHOR

Francisco do Espirito Santo Neto
ditado por Hammed

Filosófico
Formato: 14x21cm
Páginas: 176

Sócrates afirmava que "ninguém que saiba ou acredite que haja coisas melhores do que as que faz, ou que estão a seu alcance, continua a fazê-las quando conhece a possibilidade de outras melhores". Ser protagonista da própria vida não significa jamais se equivocar; significa, sim, refazer caminhos, reconhecer falhas e erros, e deixar de ser prisioneiro das próprias atitudes. Neste livro de Hammed, você vai descobrir as ferramentas necessárias para conduzir sua história de vida e fazer da existência uma grande oportunidade de aperfeiçoamento.

 www.boanova.net

 www.facebook.com/boanovaed

 www.instagram.com/boanovaed

 www.youtube.com/boanovaeditora

Entre em contato com nossos consultores e confira as condições.
Catanduva-SP 17 3531.4444 | boanova@boanova.net

RENOVANDO ATITUDES

Francisco do Espírito Santo Neto
ditado por Hammed

Filosófico
Formato: 14x21cm
Páginas: 248

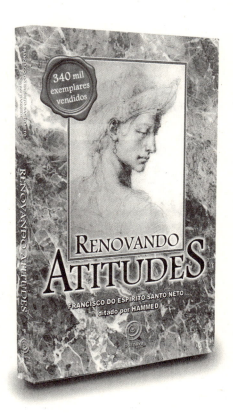

Elaborado a partir do estudo e análise de 'O Evangelho Segundo o Espiritismo', o autor espiritual Hammed afirma que somente podemos nos transformar até onde conseguirmos nos perceber. Ensina-nos como ampliar a consciência, sobretudo através da análise das emoções e sentimentos, incentivando-nos a modificar os nossos comportamentos inadequados e a assumir a responsabilidade pela nossa própria vida.

 www.boanova.net

 www.facebook.com/boanovaed

 www.instagram.com/boanovaed

 www.youtube.com/boanovaeditora

Entre em contato com nossos consultores e confira as condições.
Catanduva-SP 17 3531.4444 | boanova@boanova.net

CAMÉLIAS DE LUZ

Cirinéia Iolanda Maffei
ditado por Antonio Frederico

Romance
Formato: 16x23cm
Páginas: 384

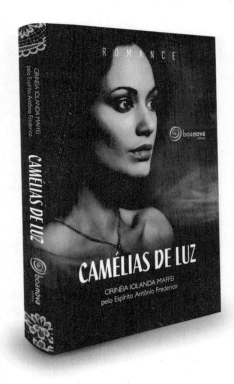

No Brasil do final do século XIX, três mulheres têm suas existências entrelaçadas novamente... Seus amores, paixões, derrotas e conquistas... Uma história real, lindamente narrada pelo Espírito Antônio Frederico, tendo como cenários as fazendas de Minas Gerais e o Rio de Janeiro pré-abolicionista... Pairando acima de tudo, as camélias, símbolos da liberdade!

O amor restabelecendo o equilíbrio. Mais do que isso, o autor espiritual descerra aos olhos do leitor acontecimentos que fazem parte da história de nosso país, abordando-os sob o prisma espiritual. As camélias do quilombo do Leblon, símbolos da luta sem sangue pela liberdade de um povo, resplandecem em toda a sua delicadeza. Uma história que jamais será esquecida...

 www.boanova.net

 www.facebook.com/boanovaed

 www.instagram.com/boanovaed

 www.youtube.com/boanovaeditora

17 3531.4444 | boanova@boanova.net | www.boanova.net

A BATALHA PELO PODER

Assis Azevedo
Ditado por João Maria

Romance
Formato: 16x23cm
Páginas: 320

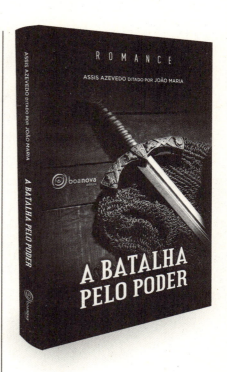

Desde a remota Antiguidade o homem luta para dominar o próprio homem, tudo por causa do orgulho, do egoísmo, da inveja e, sobretudo, da atração nefasta pelo poder. Mesmo com o advento do Cristianismo, a humanidade não entendeu a verdadeira mensagem de Jesus, que era "amar o próximo como a si mesmo"

Esta obra, ditada pelo Espírito João Maria, informa-nos com muita propriedade sobre uma batalha desencadeada pelos nobres da Idade Média, cuja intenção era sempre lutar bravamente pelo domínio de tudo o que existisse, com a desculpa de que honrariam, assim, o nome de seus antepassados.

 www.boanova.net

 www.facebook.com/boanovaed

 www.instagram.com/boanovaed

 www.youtube.com/boanovaeditora

Entre em contato com nossos consultores e confira as condições.
Catanduva-SP 17 3531.4444 | boanova@boanova.net

ROMANCE

NUNCA É TARDE PARA PERDOAR

HUMBERTO PAZIAN

16x23 cm | 144 páginas

França, 1763. Filho único do conde Arnaldo D´Jou, Felipe retorna à pátria depois de sofrer amarga derrota nos campos de batalha da Inglaterra. A caminho dos domínios do pai, não sabe que vai ao encontro do seu passado... Embriagado pela beleza e pelo encanto de Celine, Felipe deixa-se dominar pela paixão. A linda jovem, filha de um cigano foragido, nega-se a se entregar ao guerreiro, que não aceita a recusa. O ódio de Felipe, então, contamina o ambiente da estalagem onde se encontram, abrindo suas portas para espíritos violentos e vingadores... Agora, tudo pode acontecer: Felipe e Celine, além de outros afetos e desafetos, reencontram-se para entender que nunca é tarde para perdoar.

Boa Nova Catanduva-SP | 17 3531.4444 | boanova@boanova.net

O MISTÉRIO DA CASA

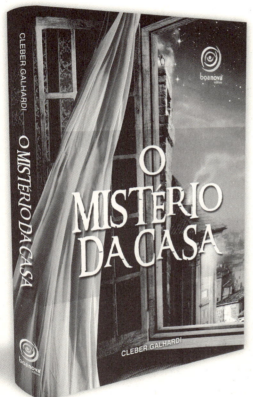

CLEBER GALHARDI
16x23 cm
Romance Infantojuvenil
ISBN: 978-85-8353-004-6

256 páginas

Uma casa misteriosa! Um grupo de pessoas que se reúnem alguns dias por semana, sempre a noite! Um enigma? O que essas pessoas fazem ali? O que significa esse código? Descubra juntamente com Léo, Tuba e Melissa as respostas para essas e outras situações nessa aventura de tirar o fôlego que apresenta aos leitores uma das principais obras da codificação de Allan Kardec.

LIGUE E ADQUIRA SEUS LIVROS!
Catanduva-SP 17 3531.4444 | boanova@boanova.net

www.boanova.net

As dores da alma

FRANCISCO DO ESPÍRITO SANTO NETO *ditado por* **HAMMED**

Filosófico | 14x21 cm | 216 páginas

O autor espiritual Hammed, através das questões de 'O livro dos Espíritos', analisa a depressão, o medo, a culpa, a mágoa, a rigidez, a repressão, dentre outros comportamentos e sentimentos, denominando-os 'dores da alma', e criando pontes entre os métodos da psicologia, pedagogia e da sociologia, fazendo o leitor mergulhar no desconhecido de si mesmo no propósito de alcançar o autoconhecimento e a iluminação interior.

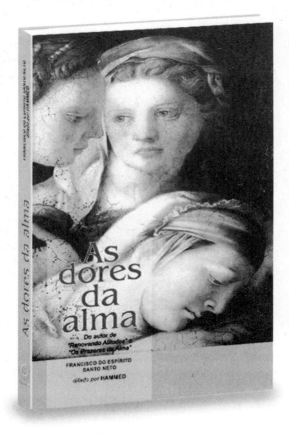

Entre em contato com nossos consultores e confira as condições.
Catanduva-SP 17 3531.4444 | boanova@boanova.net

Os prazeres da alma
uma reflexão sobre os potenciais humanos

FRANCISCO DO ESPÍRITO SANTO NETO
ditado por **HAMMED**

Filosófico | 14x21 cm | 214 páginas

Elaborado a partir de questões extraídas de "O Livro dos Espíritos", o autor espiritual analisa os potenciais humanos - sabedoria, alegria, afetividade, coragem, lucidez, compreensão, amor, respeito, liberdade, e outros tantos -, denominando-os de "prazeres da alma". Destaca que a maior fonte de insatisfação do espírito é acreditar que os recursos necessários para viver bem estão fora de sua própria intimidade. A partir deste contexto, convida o leitor a descobrir-se no universo de qualidades que povoa sua natureza interior.

Conheça também:

Espiritismo Fácil

Entenda o Espiritismo com poucos minutos de leitura.

Reencarnação Fácil

Entenda a reencarnação com poucos minutos de leitura.

Evangelho Fácil

Entenda o Evangelho com poucos minutos de leitura.

Quiz Espírita

O primeiro Quiz destinado ao Espiritismo.

Meu Pequeno Evangelho

Ensinamentos de amor em forma divertida.

Crianças Médiuns

A historinha que deu inicio ao Espiritismo.

Galinha Espiritinha (Bilingue)

A linda historinha da reencarnação do Pintinho Amarelinho.

Baixe o aplicativo Vidas Passadas na Apple Store.

Mais sobre o autor: www.luishu.com